Belleza
extrema

Belleza
extrema

Experimenta el poder transformador de Dios

Sharon Jaynes

Traducido por
Susie de la Peña-Statham

EDITORIAL MUNDO HISPANO

Editorial Mundo Hispano
7000 Alabama Street, El Paso, Texas 79904, EE. UU. de A.

www.editorialmundohispano.org

Nuestra pasión: Comunicar el mensaje de Jesucristo y facilitar la formación de discípulos por medios impresos y electrónicos.

Publicado originalmente en inglés por Harvest House Publishers, Eugene, Oregon, bajo el título *Experience the Ultimate Makeover*, © copyright 2007, por Sharon Jaynes.

Salvo otra indicación, las citas bíblicas han sido tomadas de la versión Reina-Valera Actualizada, edición 2006, © Editorial Mundo Hispano. Usada con permiso.

Editora: Alicia Zorzoli
Armado de páginas: Néaouguen Nodjimbadem

Ediciones: 2007, 2009
Primera edición en tamaño de bolsillo: 2011
Clasificación Decimal Dewey: 248.843
Tema: Mujeres, Vida cristiana

ISBN: 978-0-311-47028-0
EMH Núm. 47028

10 M 6 11

Impreso en Colombia
Printed in Colombia

AGRADECIMIENTOS

Dios ha utilizado a muchas personas durante mi camino hacia el logro de un cambio de imagen total. Doril y Jack Henderson invirtieron su vida en una pequeña adolescente insegura; los hombres y las mujeres de Rocky Mount, en Carolina del Norte, quienes abrieron la cafetería *Ancient of Days*, en los días en que la música cristiana contemporánea hizo su debut; y el señor Don Evans, quien le dio ánimos a una joven adolescente para que se pusiera en pie y contara su historia. Dios utilizó a cuatro personas para que me abrieran los ojos ante la verdad de quién soy yo en Cristo: los autores Neil Anderson, Anabel Gillham y Bill Gillham, como también mi mentora Mary Marshall Young.

También quisiera agradecer al equipo tan maravilloso de publicaciones de Harvest House por su visión al animar y equipar a los hombres y a las mujeres durante el proceso de la impresión: Bob Hawkins, Sr., Bob Hawkins, Jr., Terry Glaspey, Carolyn McCready, LaRae Weikert, Barb Sherrill, Kim Moore y Betty Fletcher.

Un agradecimiento especial para Liz Higgs y Carol Kent por sus palabras de aliento, para mi equipo de oración por elevar sus oraciones por mí hasta el trono de Dios, y para tantas mujeres que me han escrito para decirme cómo Dios las ha liberado y cómo ha empezado ese cambio de imagen total en sus vidas.

Este libro tiene marcadas las huellas de mi esposo en cada página. Gracias, Steve, por tolerar las montañas de papel, las noches hasta muy tarde conmigo junto a la computadora y mis "Cariño, ¿puedes leer esto otra vez?".

Por último, quiero agradecer a mi Padre celestial, el artista del cambio de imagen, por su trabajo al cambiar mi vida. ¡A Dios sea la gloria!

ÍNDICE

¡Necesito un tratamiento de belleza, por favor!

Descubre el poder transformador de Dios

"¿Qué me sucede?", me preguntaba. "¿Por qué no puedo tener la paz que tienen otras personas? ¿Por qué no tengo la fe que tienen otros cristianos a mi alrededor? ¿Por qué siempre siento que no soy lo suficientemente buena?".

Por muchos años estuve cautiva por sentimientos de inferioridad, inseguridad e inadecuación. Por fuera me veía como si lo tuviera todo bajo control, pero por dentro yo era una niña cobarde que se escondía en la esquina del parque con la esperanza de que nadie notara mi falta de ánimo para participar.

Tal vez esperas que te diga: "...pero después conocí a Jesús y todas mi inseguridades desaparecieron". ¡Cómo quisiera que ese fuera el caso! Pero la niña perdida e insegura creció y se convirtió en una mujer cristiana insegura. Pero me estoy adelantando. Permíteme llevarte a un viaje por mi niñez para descubrir la raíz de mi incapacidad de vivir la paz y el propósito de Dios para mi vida. ¿Quién sabe? Tal vez te veas reflejada y recorriendo ese mismo camino junto a mí.

Al igual que muchos niños que vivieron durante los años de la Gran Depresión en la zona rural de Carolina del Norte, mis padres se graduaron de la escuela secundaria y unas cuantas semanas después se dieron el "sí" en el altar. Diez meses después escucharon el llanto de su primer bebé. Cinco años después de que mi hermano naciera, yo hice mi gran debut en una noche nevada tan sólo unos cuantos días antes de Navidad.

Desde el principio, mis padres tuvieron un matrimonio difícil. No recuerdo mucho de mis primeros cinco años de vida, pero sí recuerdo muchas discusiones llenas de odio y las explosiones de violencia a las que les seguían periodos de agresión fría y pasiva.

Mi padre dirigía una compañía proveedora de materiales para la construcción, y pasaba la mayoría de su tiempo trabajando o de francachela con sus amigos. A pesar de que su negocio estaba a unos cuantos kilómetros de nuestra casa, yo sentía que su corazón estaba en un lugar que yo jamás podría hallar. En mi corazón de pequeña se libraba una batalla entre la parte de mi ser que deseaba ser la niña de papá y la parte que temía tan sólo acercarse a él.

Mi familia vivía en una casa muy linda de ladrillos al estilo del campo, con columnas en el pórtico alargado del frente, y rodeada de pinos de 20 metros de alto que daban sombra a nuestro techo. Con dos hijos y un perro, llamado Lassie, parecíamos la típica familia norteamericana. Sin embargo, detrás de la fachada tranquila yacía un secreto oscuro y profundo.

Mi padre tenía un problema de alcoholismo, y muchas noches regresaba a casa con una actitud muy violenta. Mis padres se peleaban en mi presencia verbal y físicamente, y yo vi y escuché muchas cosas que un niño pequeño nunca debe ver ni tampoco escuchar. De niña recuerdo irme a acostar y jalar con fuerza las sábanas hasta mi barbilla orando para que me pudiera quedar dormida muy rápido y dejara de escuchar los gritos y pleitos de mis padres. En esos años de mi niñez, yo tenía un joyero musical de color rosado. Muchas noches me salía de la cama, giraba la manecilla de atrás del joyero y abría la tapa para oír la música hermosa con la esperanza de que eso ahogara los ruidos de la pelea en la habitación contigua. Yo pretendía ser la bailarina que salía cuando abría la tapa del joyero, y dejaba que la música me llevara a un lugar mágico y lleno de paz.

En muchas ocasiones me desperté para ver muebles rotos, a mi madre con un ojo morado, y a mi padre sollozando y haciendo promesas de que eso no volvería a pasar jamás.

De niña, aunque era muy linda, nunca me sentí bonita ni aceptable. Yo deseaba ser querida o valorada, pero sentía que siempre estorbaba y que era una hija que no tenía mucho valor. Llegué a la conjetura de que yo no era lo suficientemente bonita, ni inteligente, ni talentosa, ni buena para llegar a ser algún día la niña de los ojos de alguien. Mis padres me amaban, pero ellos estaban atrapados por sus propios problemas y no siempre sabían cómo demostrarme su amor.

Un día, cuando tenía seis años de edad, me fui a la escuela saltando con mi caja nueva de crayones, un vestido de lunares y una nueva esperanza de que me aceptaran. Pero el primer año de escuela sólo confirmó mis temores: me faltaba algo.

A partir del momento en que mi maestra de primer grado levantó en su mano la primera tarjeta con palabras para leer, yo supe que estaba en aprietos. En la década de los años sesenta, el jardín de infantes era opcional y, aunque yo asistí a un jardín de infantes de la iglesia, ahí nos enfocamos en colorear, jugar y dormir la siesta. Pero el primer año escolar era una cosa completamente diferente: con letras, números y exámenes.

Recuerdo un ejercicio de deletreo que aún hoy hace que me suden las manos. Poníamos nuestras pequeñas sillas de madera en una línea como vagones de tren. La maestra sostenía en su mano una tarjeta con palabras para que nosotros identificáramos la palabra. Si no sabíamos la palabra, nos tocaba sentarnos en el vagón de cola. Yo me pasé la mayor parte del primer grado en el vagón de cola. Por alguna razón, tenía problema con la palabra "la".

Mi hermano, que mostró ser muy inteligente, había tenido a la misma maestra cinco años antes que yo, y creo que ella pensó que en algún lugar en mis genes quedaba un rayito de esperanza.

"La voy a ayudar", tal vez pensó mi maestra.

Me hizo una etiqueta que, en lugar de mi nombre, tenía la palabra "la" y me hizo traerla puesta por dos semanas. Otros estudiantes se me acercaban y me preguntaban: "¿Por qué tienes que usar esa etiqueta?". "¿Te llamas *'la'*?". "Has de ser una estúpida". "¿Qué te pasa?".

Aprendí a deletrear la palabra "la", pero eso no fue todo lo que aprendí. También aprendí que era estúpida, no tan inteligente como los demás y, nuevamente, que no era suficientemente buena.

Los sentimientos de inferioridad, inseguridad e inadecuación se convirtieron en un filtro sobre mi mente. Cada pensamiento que tenía, cada interpretación de mi pequeño mundo, tenían que pasar por ese cernidor de deficiencia. Para cuando llegué a la adolescencia, ese filtro estaba bien cimentado en su lugar.

Sin embargo, Dios no me dejó así. ¿No te encantan las palabras "sin embargo, Dios"? Son mis palabras favoritas de la Biblia. Sin embargo, Dios no me dejó así.

Cuando cumplí doce años me hice amiga de una niña, Wanda Henderson, que vivía cerca de mi casa. Nos habíamos conocido desde primer grado, pero nos hicimos amigas de verdad en el sexto grado. La mamá de Wanda me aceptó y me quería como si fuera su propia hija. La señora Henderson sabía lo que pasaba en mi casa y sabía cómo estaba herido mi corazón. Me encantaba estar en casa de la familia Henderson. El señor y la señora Henderson se abrazaban y se besaban en frente de nosotros, y hasta se llamaban de forma especial el uno al otro. Yo nunca había visto a una pareja de casados actuar de esa forma, y los miraba asombrada. No sabía por qué esa familia era tan diferente a la mía; lo que sí sabía era que esa diferencia tenía que ver con Jesucristo. Su casa era un bálsamo, era una clínica de belleza emocional.

La señora Henderson se paseaba por su casa limpiando y cantando canciones de adoración al Señor. Inclusive, ella hablaba de Jesucristo como si lo conociera personalmente. Yo pensaba que eso era raro.

Con el tiempo, la familia Henderson me invitó a ir con ellos a la iglesia y me di cuenta de que la mayoría de las personas de su iglesia hablaban de Jesucristo como si lo conocieran de forma personal. Aunque parezca extraño, mi familia, aún con todos sus problemas, iba a la iglesia los domingos. Sí, en medio del alcohol y los pleitos, íbamos a una iglesia muy correcta y prestigiada socialmente; pero eso sí, peleando hasta llegar a la puerta. Escuchábamos sermones que nos cosquilleaban el oído, que eran inofensivos y bastante morales como para hacernos sentir que ya habíamos cumplido con nuestra labor patriótica, pero que no eran lo suficientemente espirituales como para convencernos o transformarnos de ningún modo.

Sin embargo, la iglesia de la familia Henderson era diferente. Allí hablaban de tener una relación personal con Jesucristo. Eso era algo que no había escuchado antes. Yo quería eso que ellos tenían. Fui a esa iglesia y bebí cada una de las palabras que el pastor y los maestros dijeron sobre un Salvador quien me amaba tanto que dio su propia vida por mí en la cruz del Calvario para que yo pudiera tener vida eterna. Él pago el castigo por mis pecados. Él me amó no por ser bonita o porque yo pudiera hacer bien las cosas, sino tan sólo por ser suya.

El siguiente año, la señora Henderson empezó un estudio bíblico para sus vecinos adolescentes y ahí empecé a enamorarme de la Palabra de Dios. Una noche, a mis catorce años, la señora Herderson me hizo sentar en el sofá.

—Sharon —me preguntó—. ¿Estás lista para aceptar a Jesús como tu Salvador y Señor personal?

Las lágrimas resbalaban por mis mejillas mientras contestaba que sí.

En ese preciso momento acepté a Cristo. El cambio de mi imagen espiritual se completó al momento en que yo dije "Sí creo". En un abrir y cerrar de ojos cambié de estar condenada a estar perdonada.

Sin embargo, el cambio de imagen de mi alma (mente, voluntad y emociones) apenas comenzaba.

Al principio mis padres estaban recelosos de mi "nueva religión", pero mi amor por el Señor era difícil de resistir o de negar. Dos años después de haberle entregado mi vida a Jesús, mi madre también lo recibió como su Salvador personal. Tres años después, luego de una serie de eventos, cambios y situaciones que únicamente nuestro Padre celestial podría haber orquestado, mi padre terrenal entregó su vida a Cristo. En tan solo seis años, Dios hizo un milagro increíble en mi vida y la vida de mi familia.

Pero por el momento, regresemos con aquella niña de 14 años que se consumía por los sentimientos de inferioridad, inseguridad e inadecuación. ¿Desaparecieron esos sentimientos en cuanto acepté a Cristo? ¿Se evaporaron al yo pronunciar las palabras "Sí creo"? Oh, querida amiga, me gustaría poder decirte que sí, pero no fue así. De hecho, yo ni siquiera sabía que esos sentimientos estaban allí.

A través de los años aprendí a compensar mis inseguridades. Si me hubieras conocido de adolescente, si hubieras visto mis logros y mis habilidades, nunca hubieras imaginado siquiera que yo me sentía de esa forma o que estaba viviendo con tales ataduras.

Desde los catorce hasta después de mis treinta años de edad, siempre sentí que algo andaba mal en mi lado espiritual. Era como si yo hubiera llegado al cine cuando la película ya tenía veinte minutos de haber empezado, y yo debía pasar el resto del tiempo intentando entender de qué se trataba. Me preguntaba el por qué de mi lucha por llevar una vida cristiana victoriosa. Tenía un esposo maravilloso, un hijo excepcional y una vida familiar feliz. Era maestra de estudios bíblicos en una iglesia basada solidamente en la Biblia, y me había rodeado de amistades cristianas. Sin embargo, me faltaba algo: no sabía quién era yo. No comprendí el cambio que sucedió en mi ser en el momento en que me entregué a Cristo. Yo no entendí cuál era mi verdadera identidad como hija de Dios.

Una vez más, Dios no me dejó de esa manera. Algo pasó en esa tercera década de mi vida. Así como las palomitas de maíz, empezaron a saltar a mi vista diferentes versículos de la Biblia: "Tú has sido elegida y amada profundamente", "Tú eres santa", "Tú eres una santa". Empecé a comprender que la forma en que yo me veo y la forma en que Dios me ve son muy diferentes. Sí, yo recibí un tratamiento de belleza en el momento en que acepté a Cristo como mi Salvador. Mi espíritu muerto revivió con Cristo; nací nuevamente, como Jesús le dijo a Nicodemo (Juan 3). Pero el tratamiento de belleza extremo, el proceso de ser transformada a imagen de Cristo, apenas había empezado.

La belleza verdadera

Nuestra cultura está esclavizada por la idea de la belleza y de la eterna juventud. Pero, ¿qué es la verdadera belleza?

Una compañía de cosméticos hizo un descubrimiento importante. Pidió a la gente de una ciudad grande que le enviara fotografías y una breve carta para describir a la mujer más hermosa que conocía. En unas cuantas semanas la compañía recibió miles de cartas.

Una carta en particular captó la atención de los empleados, y enseguida la hicieron llegar al presidente de la compañía. La carta fue escrita por un niño de una familia separada que estaba viviendo en un vecindario muy pobre. Con algunas correcciones gramaticales, una parte de la carta decía: "Esta hermosa mujer vive en la misma calle que yo. Yo la visito todos los días. Ella me hace sentir el niño más importante del mundo. Jugamos a las damas y ella escucha mis problemas. Ella me entiende y, cuando me voy, siempre me grita desde la puerta que está muy orgullosa de mí".

El niño terminaba su carta diciendo: "Esta foto les muestra que ella es la mujer más hermosa del mundo. Yo espero casarme con una mujer tan linda como ella".

Intrigado por la carta, el presidente de la compañía pidió ver la fotografía de esa mujer. La secretaria le entregó la foto de una mujer sonriente, sin dientes, de edad avanzada, sentada en una silla de ruedas. Llevaba el escaso cabello grisáceo recogido atrás en un rodete. Las arrugas, que formaban como surcos profundos en toda su cara, desaparecían un poco gracias al brillo de sus ojos.

El presidente de la compañía dijo sonriendo: "No podemos usar la foto de esta mujer. Ella le demostraría a todo el mundo que no se necesitan nuestros productos para ser hermosa"[1].

El pequeño niño había descubierto una verdad invalorable: la belleza (la verdadera belleza) empieza por dentro y luego va surgiendo hacia el exterior.

El sueño de una niña

Recuerdo que de niña entraba a hurtadillas al armario de mi mamá y me ponía sus zapatos de tacón alto en mis pequeños pies de niña. También me subía a una silla para alcanzar uno de sus sombreros de la repisa, y al ponérmelo parecía que me ponía la pantalla de una lámpara. Su chaqueta de satén, con unas mangas que me llegaban más de veinte centímetros por debajo de las manos, le daba un toque muy elegante a todo mi atuendo. Una dama que va a una fiesta no puede verse "sin la cara arreglada"; así que me dirigí al baño, abrí el cajón prohibido y diseñé una obra de arte al estilo payaso sobre el lienzo limpio que era mi cara: unos círculos rojos en mis mejillas, unas rayas de sombra azul sobre mis párpados de chiquilla, lápiz labial anaranjado sobrepasando la línea natural de mis labios y el toque final: una espolvoreada de polvo facial con la brocha grande.

Desde el momento en que una niña se pone de puntitas para asomarse al espejo, ella desea ser hermosa, quizás igual que su mami. Conforme esa niña crece y se convierte en adolescente, empieza a experimentar con el maquillaje, explora la moda y prueba diferentes estilos de peinado. Después busca ideas en las revistas y en los programas de televisión. Si una idea no funciona bien, siempre habrá una próxima vez.

Durante los últimos diez años, los norteamericanos se han infatuado por la idea del cambio de imagen. Los programas de televisión de cambio de imagen como *Extreme Makeover* y *Extreme Makeover Home Edition* ("Transformación total" y "Transformación total, edición para el hogar") y otros han acaparado la atención e imaginación del público. Pero los programas de cambio de imagen no son los únicos que alimentan nuestra obsesión con la apariencia externa. Los estadounidenses gastan millones de dólares al año en cosméticos. Los puestos de revistas se llenan mes a mes con publicaciones que prometen cambios dramáticos de imagen para mujeres de todo tamaño, color y forma. Nos dicen cómo adelgazar los muslos, cómo afirmar la flacidez, cómo aplanar los estómagos, cómo aumentar los bíceps, cómo emblanquecer los dientes y cómo alargar las pestañas. Podemos aprender a aplicar correctamente el maquillaje, escoger el mejor estilo de peinado para enmarcar y suavizar los rasgos faciales, y hasta podemos aprender a determinar qué color de ropa es el más adecuado según nuestro tono de piel.

La obsesión no llega tan sólo a mujeres mayores que tratan de combatir los efectos de la edad y la fuerza de gravedad, y que tienen ingresos para derrochar. En el año 2000, las jóvenes estadounidenses gastaron $155 mil millones de dólares en productos de belleza, en el salón de belleza y en las clínicas de belleza, obviamente financiados por sus padres[2].

Los conductores de los programas de televisión más populares han sido el tema de conversación por sus cambios de imagen. A los espectadores les encanta ver a una artista que transforma a una desaliñada ama de casa de clase media en una sofisticada cosmopolita con tan solo un tijeretazo, un brochazo de rubor y un guardarropa actualizado. Y en silencio nos preguntamos: *"¿Podrán cambiarme a mí también?"*.

No quiero decir con esto que yo nunca haya leído un artículo de revista sobre tratamientos de belleza o que tampoco haya tomado ninguna de sus sugerencias, y que mucho menos haya contribuido al incremento en las tasas de ventas de cosméticos. Lo que sí sé ahora es que no hay una cantidad suficiente de cremas faciales, maquillaje, ropa de diseñador o programas de ejercicios que verdaderamente hagan que una mujer se sienta bella, contenta o completa. Si estamos invirtiendo nuestro capital en que nuestra apariencia externa nos va a hacer felices, vamos directo a la bancarrota.

Clavos baratos

Uno de los grandes filósofos de todos los tiempos es *Carlitos*, el pequeño niño de cabeza redonda de la serie de caricaturas *Peanuts* (Rabanitos) de Charles Schulz. Pero aun Carlitos tiene sus propios problemas. Un día va a visitar a Lucy, su psiquiatra. Lucy está sentada pensativamente detrás de su quiosco improvisado, el cual se parece a un puesto donde venden limonada. Su letrero dice: "Ayuda psiquiátrica a 5 centavos".

> Escena uno: Lucy le dice a Carlitos: "Tu vida es como una casa…".
>
> Escena dos: "Tú quieres que tu casa tenga cimientos sólidos, ¿cierto?".
>
> Escena tres: "Seguramente eso es lo que quieres…".
>
> Escena cuatro: "Entonces, no construyas tu casa sobre la arena, Carlitos…".
>
> Escena cinco: Sopla un fuerte viento que tira a Lucy de su silla, y su quiosco improvisado se derrumba.
>
> Escena seis: "…ni uses clavos baratos".

Veo a muchas mujeres hoy en día, que empiezan construyendo su casa espiritual sobre la roca sólida de Jesucristo; después, siguen construyendo sobre ese cimiento pero con los clavos baratos de la apariencia externa, el buen desempeño, las posesiones, el poder y las alabanzas de los demás. ¡Qué pena! Cuando los fuertes vientos de la adversidad empiezan a soplar, al igual que el quiosco temporal de Lucy, nos caemos.

En 1 Corintios 3:10-15, Pablo habla de dos tipos de materiales de construcción. Uno de los tipos está formado por madera, heno y hojarasca. Estos representan lo que hace el hombre. Él los planta y los arranca. Estos materiales son temporales, pueden incendiarse y llegar a perderse totalmente en un segundo. Otro tipo de material de construcción está formado por oro, plata y piedras preciosas. Estos representan lo que Dios ha creado. Pero nosotros tenemos que descubrirlos, algunas veces mediante cavar a través de montañas de tierra.

Las ideas de nuestra cultura acerca del cambio de imagen son temporales: madera, heno y hojarasca. Pero los principios que encontramos en la Palabra de Dios son eternos, con resultados que duran toda la vida. Podemos usar los consejos de belleza de las revistas, pero la belleza verdadera sucede cuando nos sentamos en la clínica de belleza de Dios y le permitimos hacer un milagro.

A las mujeres les encanta la idea de pasar un día en una clínica de belleza. Después de todo, la reina Ester en la Biblia permaneció en una clínica de belleza por todo un año antes de convertirse en la esposa de Asuero. Su régimen de belleza incluyó seis meses con aceites de mirra y seis meses con perfumes y cosméticos (Ester 2:12). Y no solo eso, también le asignaron a siete criados para encargarse de sus necesidades diarias. ¡Ese sí es un paquete de tratamiento de belleza que vale la pena considerar!

Aceptémoslo, las mujeres quieren ser hermosas. Sin embargo, muchas no se dan cuenta de que la belleza empieza por dentro y va floreciendo al exterior. El niño que mencioné antes descubrió que la belleza se ve a través de los ojos del amor.

¿Pero cuál es la formula para volverse bella por dentro? No vas a descubrir el secreto en las revistas, en los programas de televisión o en los *reality shows*. La belleza interna es el resultado del poder transformador de Dios en el corazón de un alma que así lo desea. Él no sólo maquilla nuestras imperfecciones, él milagrosamente empieza de la nada y nos hace nuevas. "De modo que si alguno está en Cristo, nueva criatura es; las cosas viejas pasaron; he aquí todas son hechas nuevas" (2 Corintios 5:17).

Ahora acompáñame a la clínica de belleza de Dios para hacerte un tratamiento de belleza total. Ya está hecha tu cita y Dios te está esperando. ¡Vamos a empezar!

El maquillaje increíble
Llega a la raíz
del problema

Hace varios años, yo tenía un auto que se recalentaba constantemente. La primera vez que vi la aguja de la temperatura apuntando a la letra "C" en el tablero, asumí que eso significaba que el auto estaba caliente. Eso sucedió a mediados de agosto y, sinceramente, yo también tenía calor. Por esa razón no me preocupé demasiado. Decidí llevar el auto sin prisa alguna a la concesionaria que estaba como a unos 19 kilómetros para que lo revisaran. Ese fue mi gran error.

Después de más o menos un minuto empezó a salir humo del frente del auto, se escuchó un golpeteo muy fuerte proveniente del motor, y el auto que antes funcionaba, ahora dejó de hacerlo. Se detuvo a la mitad de una calle muy transitada y a la hora pico de una tarde de viernes. Una grúa se llevó el auto a la concesionaria donde el mecánico me dio las malas noticias.

—¿Señora Jaynes, ve usted esa aguja que apunta a la letra "C"? —preguntó el mecánico—. Eso quiere decir que el motor se recalentó. Cuando usted vea eso, se tiene que detener de inmediato. Como usted siguió manejando, pues quemó el motor. Ya no sirve. Va a tener que comprar uno nuevo.

—Creo que eso me va a costar mucho dinero —dije lamentándome.

—Van a ser como cuatro mil dólares —contestó mientras seguía buscando algo más en el motor.

—¡Cuatro mil dólares! Y sólo porque no detuve el auto cuando se recalentó… y todo porque no atendí las señales de aviso. Esa fue una lección dolorosa y muy cara.

El mecánico instaló el motor nuevo, y unas cuantas semanas después la agujita apuntó nuevamente hacia la letra "C". Ya te podrás imaginar mi alarma al ver eso. Esta vez me detuve de inmediato, y nuevamente una grúa tuvo que llevar mi auto a la concesionaria. Una vez más, hicieron algunos ajustes, me dieron la seguridad de que todo estaría bien y me dijeron que ya me podía ir.

En las semanas siguientes, el auto se recalentó tres veces. En esas tres ocasiones, una grúa tuvo que remolcar el auto hasta la concesionaria y el mecánico le hizo ajustes. Al final dije: "Basta", y me deshice del auto.

El problema fue que el mecánico nunca arregló la causa del desperfecto; él solamente trató con los síntomas superficialmente. Arregló una cosa primero y después otra, pero nunca llegó a la raíz para averiguar por qué el auto se calentaba.

Se parece a nosotras: reparamos a la ligera una imperfección aquí y luego otra allá, pero nunca llegamos a la raíz del problema. Muchas veces, cuando leemos la Biblia, queremos encontrar los "cómo" hacer las cosas pero sin tener que toparnos con el "porqué" de las cosas. En estos tiempos de los mensajes instantáneos, de los aparatos de fax y de las comidas de horno de microondas, queremos resolver todo de la forma más rápida sin entender las verdades profundas de las Escrituras. Decimos: "Sólo dime qué hacer y lo hago". "Dame un programa de diez pasos a seguir y yo los haré uno a uno". Sin embargo, para poder hacernos un tratamiento de belleza total, debemos empezar con la verdad total.

Antes de iniciar este recorrido, regresemos un poco en el tiempo y hagamos una pequeña investigación genética para poder entender por qué todas necesitamos un tratamiento de belleza. Los médicos requieren que todos sus pacientes completen un cuestionario llamado "historial médico" ya que el campo de la medicina ha determinado que ciertas enfermedades tienen tendencias genéticas. Si tu abuela tuvo diabetes, entonces tú corres mayor riesgo de sufrir la misma enfermedad. Si tu padre tuvo alguna enfermedad cardiaca, tú también tienes muchas posibilidades de sufrir esa enfermedad.

Para hacernos el tratamiento de belleza total, también debemos considerar nuestro historial familiar. Sin embargo, creo que si en verdad queremos llegar a la raíz del problema, entonces debemos retroceder más allá de sólo unas pocas generaciones. De hecho, vamos a retroceder hasta el jardín del Edén, hasta el principio del tiempo.

El verdadero problema

Un predicador dijo una vez: "El problema de ustedes es que no saben cuál es el problema. Creen que su problema es su problema, pero eso no es, de ninguna manera, el problema. Su problema no es su problema, y ese es su problema principal". Para determinar el verdadero problema necesitamos retroceder en el tiempo hasta el jardín del Edén.

"En el principio creó Dios los cielos y la tierra" (Génesis 1:1). Nunca me canso de leer esas primeras palabras de la Biblia e imaginar el nacimiento del universo y todo lo que se encuentra en él. Imagínate: antes de la creación del mundo, no había nada. Intenta pensar en nada. Ni siquiera podemos hacer eso, porque pensar en nada es pensar en algo.

En el primer día, Dios pronunció unas palabras y la luz apareció de la oscuridad. Después, él dibujó las líneas divisorias para separar las aguas en la tierra de las aguas en los cielos. Él reunió el agua del mar e hizo que apareciera la tierra seca. Dios fue quien hizo que aparecieran en la tierra las semillas de todo tipo, quien liberó bandadas de aves en el cielo, enjambres de insectos al aire y bancos de peces en el mar. En el quinto día, Dios creó todas las criaturas que viven sobre la tierra.

Pero faltaba algo. Dios quería algo más. El sexto día, Dios dijo: "Hagamos al hombre a nuestra imagen" (Génesis 1:26). Entonces "el SEÑOR Dios formó al hombre del polvo de la tierra. Sopló en su nariz aliento de vida, y el hombre llegó a ser un ser viviente" (Génesis 2:7). La palabra "formó" es la misma palabra que se usa cuando un alfarero forma una vasija con arcilla. ¡Qué imagen tan hermosa el ver a Dios dándole forma y moldeando amorosamente con las puntas de sus dedos las partes más intrincadas de Adán y soplando el aliento de Dios mismo en sus pulmones!

Después de cada uno de los días de la creación, al ponerse el sol en el horizonte, Dios contempló su labor y dijo que: "era muy bueno". La única excepción sucedió cuando él dijo: *"No es bueno* que el hombre esté solo" (Génesis 2:18, énfasis agregado).

> El hombre puso nombres a todo el ganado, a las aves del cielo y a todos los animales del campo. Pero para Adán no halló ayuda que le fuera idónea.
>
> Entonces el SEÑOR Dios hizo que sobre el hombre cayera un sueño profundo; y mientras dormía, tomó una de sus costillas y cerró la carne en su lugar. Y de la costilla que el SEÑOR Dios tomó del hombre, hizo una mujer y la trajo al hombre (Génesis 2:20-22).

La Biblia de las Américas dice que Dios "formó" a Eva. Él puso especial cuidado cuando la creó. Para Dios, la mujer fue el gran final de la creación.

Hasta ese momento, Adán había estado callado. Sin embargo, cuando Dios le presentó a la bella Eva, yo me imagino que él dijo: "¡Ah, esto sí que está muy bueno!". Esto no lo sabemos con seguridad, pero lo que sí sabemos es que las primeras palabras de Adán hicieron su debut en cuanto vio a Eva: "Ahora, esta es hueso de mis huesos y carne de mi carne. Esta será llamada 'mujer', porque fue tomada del hombre" (Génesis 2:23).

Todo iba bien en el jardín del Edén, por un rato.

Las tres partes del hombre

Recuerdo cuando mi maestra del jardín de infantes dijo un día: "Niños, este año vamos a aprender el abecedario y los números". Todo lo que aprendí en los siguientes 16 años de mi educación estuvo edificado sobre esos cimientos. Y, para que podamos hacernos un tratamiento de belleza total, nosotras debemos retroceder en el tiempo y revisar algunos aspectos básicos de nuestra creación sobre los cuales construiremos. Como ya nos dimos cuenta antes, no podemos resolver un problema sin entender primero cuál es el verdadero problema.

La Biblia explica que Dios es un ser trino: Dios Padre, Dios Hijo y Dios Espíritu Santo. Los tres estuvieron presentes durante la creación. Dios dijo: "*Hagamos* al hombre a nuestra *imagen*" (Génesis 1:26, énfasis agregado). Cuando él creó a Adán y Eva a su imagen, él también los creó con tres partes: cuerpo, alma y espíritu (1 Tesalonicenses 5:23).

Para poder visualizar las tres partes que conforman al hombre*, pensemos en las tres partes que conforman una manzana. La cáscara representa el cuerpo, la pulpa representa el alma y las semillas representan el espíritu. El cuerpo (la cáscara) es la parte que podemos ver. Es temporal y sólo existe en la Tierra por un período breve de tiempo. Pablo se refiere al cuerpo como si fuera una "tienda temporal" o un lugar donde habitar temporalmente (2 Corintios 5:1-4). Algunos se refieren al cuerpo humano como si fuera un "traje terrestre". Es el vehículo mediante el cual el alma interactúa con el medio ambiente y

---

* Cuando utilice la palabra "hombre" en el resto de este libro, me estaré refiriendo a la "humanidad", es decir, tanto hombres como mujeres.

con otras personas. El cuerpo incluye nuestros cinco sentidos: la vista, el tacto, el gusto, el olfato y el oído. El cuerpo no es el hombre porque el hombre puede existir sin su cuerpo terrestre (2 Corintios 12:2, 3).

También tenemos alma. El alma aloja a la mente, a la voluntad y a las emociones. Nos permite pensar, escoger y sentir emociones. El cerebro es parte del cuerpo, pero la mente es parte del alma. La mente utiliza el cerebro para funcionar, así como el *software* utiliza una computadora para funcionar. El alma determina la personalidad. Algunos comentaristas dicen que estamos formados por sólo dos partes: material e inmaterial, o cuerpo y espíritu/alma. Sin embargo, otras personas creen que estamos formados por tres partes: cuerpo, alma y espíritu. Yo creo que estamos formados por tres partes. El autor del libro de Hebreos señala: "Porque la Palabra de Dios es viva y eficaz, y más penetrante que toda espada de dos filos. Penetra hasta partir el alma y el espíritu, las coyunturas y los tuétanos, y discierne los pensamientos y las intenciones del corazón" (Hebreos 4:12).

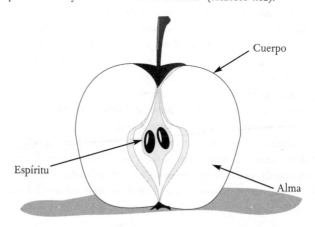

No hay nada peor que comprar una bella y lustrosa manzana roja y al morderla encontrar que por dentro está blanda y harinosa. Bueno, quizás haya una cosa peor: una mujer físicamente hermosa pero podrida en su interior. Salomón dice que es como poner un "zarcillo de oro en el hocico de un cerdo" (Proverbios 11:22). ¡Qué despilfarro!

Rebeca experimentó esto de primera mano cuando tenía 19 años. Ella estaba actuando como modelo para la tienda de departamentos de su pueblo. Medía 1,57 metros y pesaba 46 kg; el tamaño perfecto para modelar la ropa talla pequeña de la tienda. Pero ella siempre había soñado con ser alta y delgada como las modelos en la pasarela de las grandes ciudades. En una ocasión, la gerencia de la tienda donde ella trabajaba trajo una modelo de Nueva York para añadir entusiasmo al desfile de modas. Rebeca estaba encantada al observar a una modelo profesional moverse con porte y elegancia de un lado al otro de la pasarela.

Rebeca explica: "Recuerdo pararme detrás de una hilera de ropa, espiando admirada a la elegante rubia de 1,72 metros que caminaba de un lado al otro de la pasarela con el porte y la gracia de una reina. 'Oh, Dios', oré, 'cuánto quisiera ser como ella'".

Luego que terminó el desfile de moda, Rebeca estaba recogiendo sus pertenencias cuando escuchó a la modelo en un arranque de ira.

"Ni siquiera sé qué pasó", dijo Rebeca. "Todo lo que sé es que esa bella mujer a quien admiré, casi adoré, estaba soltando el lenguaje más sucio que jamás haya escuchado mientras arrojaba ropa y zapatos por todo el cuarto. Corrí fuera de la tienda y lloré todo el camino de regreso a casa. La decepción y la desilusión llenaron mi corazón. 'Oh Dios', oré nuevamente, 'por favor no me dejes jamás ser como ella'".

Rebeca aprendió una valiosa lección acerca de la verdadera belleza. "Algunas veces bajo una ropa de seda hay un alma raída"[1].

El centro del hombre es el espíritu. El cuerpo es temporal, pero el espíritu es eterno. "Pero tenemos confianza, y quisiéramos más bien salir de este cuerpo para ir a presentarnos ante el Señor" (2 Corintios 5:8, Dios Habla Hoy). Pablo sabía que cuando su cuerpo muriera, su espíritu viviría por la eternidad en el cielo con Dios. Así como el cuerpo es necesario para que las personas puedan relacionarse unas con otras, el espíritu es necesario para que el hombre pueda relacionarse con Dios.

En el ejemplo de la manzana, las semillas que están en el centro representan el espíritu. Al igual que las semillas determinan el tipo de manzana (*Granny Smith*, Deliciosa, Roma), así el espíritu determina la verdadera identidad de una persona. La Biblia afirma que hay dos tipos de "semillas" que determinan si eres una manzana mala o una buena. Una es perecedera y la otra es no perecedera. "Pues habéis nacido de nuevo, no de simiente corruptible sino de incorruptible, por medio de la palabra de Dios que vive y permanece" (1 Pedro 1:23). Vamos a echar un vistazo a los dos tipos en un momento.

En la creación, Adán y Eva fueron hechos a imagen de Dios y perfectos en todo aspecto. Sus cuerpos no tenían defectos o fallas genéticas, sus almas estaban al desnudo y no sentían vergüenza, y sus espíritus estaban en unión perfecta con Dios, ¡como dos manzanas premiadas!

Tres aspectos de la vida

El hombre fue creado con tres partes y él estaba vivo en cada una de esas áreas. "Entonces el SEÑOR Dios formó al hombre del polvo de la tierra. Sopló en su nariz aliento de vida, y el hombre llegó a ser un ser viviente" (Génesis 2:7). La mejor descripción para la palabra "vida" la encontramos en la raíz griega de esa palabra. En español tenemos una sola palabra para "amor" y el griego tiene tres: *ágape* (amor incondicional como el de Cristo), *phileo* (amor de hermanos), y *eros* (amor sexual). De igual manera, en español sólo tenemos una palabra para "vida" y el griego tiene tres: *bios*, *psyche*, y *zoe*.

1. *Bios* es la vida del cuerpo. (De aquí proviene la palabra "biosfera").
2. *Psyche* es la vida del alma: mente, voluntad y emociones. (De aquí proviene la palabra "psicología").
3. *Zoe* es la vida del espíritu.

Adán y Eva estaban vivos en las tres dimensiones. Su cuerpo, alma y espíritu estaban en total comunión con Dios.

Tres atributos radiantes

Adán y Eva no tenían necesidades. En lugar de necesidades, ellos tenían tres atributos radiantes.

1. Importancia: Adán y Eva eran de gran importancia pues gobernaban sobre todas las criaturas. Ellos tenían un trabajo que hacer.
2. Seguridad y protección: Adán y Eva estaban bajo gran seguridad gracias a la relación que tenían con Dios. Todas sus necesidades estaban cubiertas.
3. Sentido de pertenencia: Adán y Eva estaban en perfecta unión y comunión con Dios, y también entre ellos. Ellos vivían en comunión.

Tres tentaciones

Adán y Eva tenían una vida maravillosamente plena. Vivían en presencia de Dios. Él caminaba y hablaba con ellos por las tardes, y él satisfacía todas sus necesidades.

> Dios dijo además: "He aquí que os he dado toda planta que da semilla que está sobre la superficie de toda la tierra, todo árbol cuyo fruto lleva semilla; ellos os servirán de alimento. Y a todo animal de la tierra, a toda ave del cielo, y a todo animal que se desplaza sobre la tierra, en que hay vida, toda planta les servirá de alimento. (Génesis 1:29, 30)

Dios sólo le impuso una restricción a esa pareja: "Puedes comer de todos los árboles del jardín; pero del árbol del conocimiento del bien y del mal no comerás, porque el día que comas de él, ciertamente morirás" (Génesis 2:16, 17).

En Génesis 3 observamos cómo nuestros antecesores hicieron una pésima decisión que afectó a cada individuo que nació después de eso. Satanás se acercó a Eva, en forma de serpiente, y la tentó utilizando la única restricción que Dios le había impuesto. ¿Cómo logró hacer eso?

1. Él cuestionó lo que Dios dijo: "'¿De veras Dios os ha dicho: 'No comáis de ningún árbol del jardín'?" (Génesis 3:1).

2. Él negó lo que Dios había dicho: "Entonces la serpiente dijo a la mujer: —Ciertamente no moriréis" (versículo 4).

3. Él provocó que ella dudara de la justicia de Dios: "Es que Dios sabe que el día que comáis de él, vuestros ojos serán abiertos, y seréis como Dios, conociendo el bien y el mal" (versículo 5).

Satanás es el gran engañador que tomó lo que funcionaba bien en el jardín del Edén; y continúa usando las mismas tácticas hasta el día de hoy. Él no es muy creativo, pero sí muy efectivo. Es importante comprender sus tácticas para reconocerlas y derrotarlas. Pablo decía que él no ignoraba los propósitos del demonio (2 Corintios 2:11), y nosotros tampoco los debemos ignorar. Satanás nos tienta para que cuestionemos a Dios. *¿Dios ha dicho que debes seguir casada con un hombre que no satisface tus necesidades?* Él nos tienta para que lleguemos a negar a Dios. *Dios no va a considerar como pecado el que tú busques la felicidad en otra parte.* Él nos tienta para que dudemos de la justicia de Dios. *¿Qué clase de Dios es este que te niega el derecho a encontrar felicidad en los brazos de otro hombre que sí te aprecie?*

El factor básico en la tentación de Eva, y para el resto de nosotras también, es la mentira de que Dios de alguna manera tiene secretos con nosotras. Considera esto: ¿recuerdas alguna tentación que no tenga su raíz en esa mentira? ¡Eva lo tenía todo! Y aún así, Satanás se le acercó y le susurró: "Dios no quiere compartir todo contigo. Hay mucho más que lo que ves en tu mundo perfecto. Tú puedes ser como Dios. Tú puedes tener el control".

Este es el plan de guerra estratégico de Satanás y su deseo es atraparnos con la guardia baja. Consideremos la siguiente escena con una persona a la que llamaremos Ana.

Ana era una mujer hermosa, que adoraba la ópera y los escenarios. Tenía una voz increíble, y cuando cantaba en la iglesia era como si llevara a toda la congregación hasta el mismo trono de Dios. En sus años de soltera soñaba con formar parte de una compañía de ópera. Sin embargo, hizo esos planes a un lado para sentar cabeza con el hombre de sus sueños. Ella y Rob no tuvieron hijos, pero estaban muy satisfechos y muy enamorados.

Una noche, mientras Ana disfrutaba con su esposo de una cena romántica en un restaurante, empezó a conversar con la mesera. Al parecer, la mesera se iba a presentar a una audición de una ópera al día siguiente, y estaba un poco nerviosa. La sola mención de una audición de ópera despertó el interés de Ana y le hizo más preguntas al respecto.

—¿Una ópera? —preguntó Ana—. ¿Cuál?

Rob conocía la ópera de la que estaba hablando la mesera. Se trataba sobre la vida alborotada de una prostituta. Él se dio cuenta de cómo Ana se animaba más y más por la posibilidad de presentarse ella también a la audición. Él le compartió su preocupación por el sórdido tema de la ópera, pero Ana ignoró sus inquietudes.

Entra Satanás. Lo puedo imaginar diciéndole al oído: "Ana, esto es lo que siempre habías querido, una oportunidad para regresar a los escenarios. Qué importa si el tema es un poco descolorido. ¡Es arte! Dios no ha dicho que no hagas ese tipo de óperas. Eso no está en la Biblia. Rob sólo te está sobreprotegiendo. Además, él sabe que tú puedes llegar a tener éxito, y posiblemente sólo esté sintiendo celos. ¿Y quién sabe? Tal vez hasta puedas dar tu testimonio al resto del reparto. Y además, tú te mereces esta oportunidad".

—Ah, Rob —dijo Ana—. A Dios no le importa que yo esté en esta ópera. Es arte y, además, ¡tal vez yo pueda dar mi testimonio al resto del reparto!

—No tengo un buen presentimiento de esto —argumentó Rob—. El participar en una ópera con ese tipo de historia no puede ser de honra para Dios.

Aparece Satanás: "No pierdes nada con probar. Tal vez ni te den la parte. Además, parece que Rob te está controlando. ¿Acaso tú no eres tu propia dueña? ¿Vas a permitir que un hombre te diga lo que puedes o no hacer?".

—Rob, no es gran cosa —Ana le contestó—. Tal vez ni me den la parte. Además, estás siendo un controlador. Yo soy lo suficientemente fuerte para manejar esta situación.

—Aún así —respondió Rob—, sólo recuerda que no quiero que hagas esto.

La cena romántica se terminó ahí.

Dos semanas después, Ana se presentó a la audición para la ópera y obtuvo el papel principal femenino: el de una prostituta. Satanás pudo deslizarse a través de una puerta medio abierta y ganó terreno. Ana cantó con más pasión que nunca antes, mostró su cuerpo vestido con un atuendo muy escandaloso, y disfrutó los besos del hombre que tenía el principal papel masculino. Rob observaba sin poder hacer nada, cómo su esposa se convertía en otra mujer ante sus propios ojos, tanto en el escenario como fuera de él.

Tres semanas después de finalizada la ópera, mientras Rob salió al mercado, Ana empacó sus cosas y se fue para nunca regresar. Al parecer, el hombre con el papel principal la llevó directamente del escenario a sus brazos.

Satanás se rió irónicamente y se anotó otra victoria en su marcador.

Querida hermana, no te dejes engañar. Satanás es mentiroso y padre de mentira (Juan 8:44). Aun el día de hoy, él sigue diciendo mentiras. Sigue engañando a aquellos que le escuchen, de la misma forma en que engañó a Eva. Él la tentó en tres áreas de su vida, y él nos tienta en esas áreas también.

"Entonces la mujer vio que el árbol era:

1. 'bueno para comer' (su cuerpo),
2. 'que era atractivo a la vista' (su alma: mente, voluntad y emociones),
3. 'y que era árbol codiciable para alcanzar sabiduría' (su espíritu: ella creyó la mentira de que si comía de ese árbol sería como Dios).

"Tomó de su fruto y comió; y dio también a su marido que estaba con ella, y él comió. Entonces fueron abiertos los ojos de ambos, y conocieron que estaban desnudos; y cosieron hojas de higuera y se hicieron delantales" (Génesis 3:6, 7, La Biblia de las Américas). En ese momento la vergüenza entró al mundo, y se rompió su relación con Dios. Ellos fueron alejados de la presencia de Dios y arrojados del jardín del Edén. Dios puso querubines al oriente del jardín de Edén, y una espada incandescente para impedir que volvieran a entrar (Génesis 3:23, 24).

El castigo

¿Recuerdas cuál fue el castigo de Dios por haber comido del árbol del conocimiento del bien y del mal? El castigo fue la muerte. Pero, ¿murieron ellos? Aquí es donde tantos han perdido una verdad vital. *Sí, ellos sí murieron.* Sus cuerpos no murieron en ese momento, aunque el proceso estaba ya en marcha. Sin embargo, en el momento preciso de desobediencia, murieron sus espíritus. Su vida *zoe* les fue quitada, y cada una de las personas que nacieron a partir de ese momento, han nacido con un cuerpo vivo pero con un espíritu muerto. "Por esta razón, así como el pecado entró en el mundo por medio de un solo hombre y la muerte por medio del pecado, así también la muerte pasó a todos los hombres, por cuanto todos pecaron" (Romanos 5:12; ver también Efesios 2:1; 1 Corintios 15:21, 22). Mientras que la mayoría de las personas piensan que el castigo fue la expulsión del jardín de Edén, el verdadero castigo fue la muerte espiritual.

Regresemos por un momento al ejemplo de la manzana. Si la semilla de una manzana se echara a perder, entonces toda la manzana sufriría igualmente. La "semilla" de Adán y Eva, o su espíritu, murió y ellos se pudrieron hasta el corazón. Pero Dios no dejó a su más preciosa creación: el hombre, de esa forma. En su libro *The Gift to All People* (El regalo para todo el mundo), Max Lucado da la esperanza de la promesa del jardín de Edén: "En el momento en que el fruto prohibido tocó los labios de Eva, la sombra de la cruz apareció en el horizonte. Y entre ese instante y el momento en que aquel hombre con mazo en mano colocó el clavo en la muñeca de Dios, el plan maestro fue completado".

Una noche, un fariseo llamado Nicodemo fue a ver a Jesús porque quería saber más sobre sus enseñanzas. Jesús le dijo: "De cierto, de cierto te digo que a menos que uno nazca de nuevo no puede ver el reino de Dios" (Juan 3:3).

Nicodemo estaba confundido y le preguntó: "¿Cómo puede nacer un hombre si ya es viejo? ¿Puede acaso entrar por segunda vez en el vientre de su madre y nacer?

Respondió Jesús: "De cierto, de cierto te digo que a menos que uno nazca de agua y del Espíritu, no puede entrar en el reino de Dios. Lo que ha nacido de la carne, carne es; y lo que ha nacido del Espíritu, espíritu es. No te maravilles de que te dije: 'os es necesario nacer de nuevo'. El viento sopla de donde quiere, y oyes su sonido; pero no sabes ni de dónde viene ni a dónde va. Así es todo aquel que ha nacido del Espíritu (Juan 3:5-8).

Jesús le explicó a Nicodemo que para que una persona pudiera entrar al cielo, el espíritu de ella debía nacer de nuevo. ¿Por qué? Porque nuestro espíritu, nuestra vida *zoe*, murió cuando Adán y Eva decidieron desobedecer, y por eso nosotros debemos nacer *espiritualmente* una vez más.

Cristo no está interesado en gente religiosa con espíritus muertos. Él está interesado en espíritus vivos que lo adoren en espíritu y en verdad (Juan 4:23).

Las tres necesidades deslumbrantes

Antes de la caída, Eva no tenía necesidad alguna. Ella se sentía valorada, segura y a salvo, y tenía un sentimiento de pertenencia. Ella era perfecta, se sentía completa, y nada le faltaba. Sin embargo, después de desobedecer a Dios, su vida *zoe* le fue arrebatada, y sus atributos resplandecientes se convirtieron en necesidades deslumbrantes:

1. Eva perdió su sentido de valor, y sintió vergüenza.
2. Eva perdió su sentido de seguridad y protección, y sintió miedo.
3. Eva perdió su sentido de pertenecer a un lugar, y sintió vacío y rechazo.

Ella probó vestirse con un nuevo atuendo, pero eso no cubrió sus sentimientos de inseguridad. Ella intentó ocultarse para que nadie notara sus imperfecciones, pero olvidó que Dios lo ve todo. Ella también trató de llenar el vacío con el nacimiento de sus dos hijos y así poder restaurar ese sentimiento de pertenencia, pero sus fracasos sólo acentuaron su falta de adecuación. Sin importar lo que Eva hiciera para llenar ese vacío, sus necesidades eran tan deslumbrantes que cegaban. Ella era fea de adentro a afuera y estaba podrida hasta el corazón.

Esto nos lleva al verdadero problema: la misma razón por la que necesitamos un tratamiento de belleza total. Nuestras necesidades deslumbrantes ocultan la belleza que Dios tenía en mente para cada uno de sus hijos. Dios desea que nosotras lo busquemos y que le permitamos a Jesucristo ser el único que satisfaga nuestras necesidades.

Satanás desea que nosotras tratemos de satisfacer esas necesidades por nuestros propios medios, con nuestra propia fuerza, y a través de otras personas, cosas y circunstancias. Nuestro espíritu muerto y nuestra naturaleza pecaminosa causan que la oscuridad y la fealdad gobiernen en nuestra mente, nuestra voluntad y nuestras emociones. Pero Jesús tiene la capacidad de eliminar la oscuridad y llenarnos con su luz. Él es el Experto de los tratamientos de belleza total. La puerta siempre está abierta, el Experto de los tratamientos de belleza siempre está disponible, y el precio ya fue pagado.

Gina era una mujer que experimentó el poder transformador de Jesucristo. Ella vino a los Estados Unidos desde Corea en busca de una vida mejor y más próspera. Para lograr ajustarse lo más pronto posible a la nueva cultura se matriculó en una clase para aprender inglés, en la base de la Fuerza Aérea de su localidad. El maestro de la clase, un cabo de guardia, se enamoró de esa pequeña muñequita de Corea. Después de unos meses, los dos se enamoraron y se casaron.

Un domingo, el esposo de Gina la llevó al culto en una iglesia y, por vez primera, ella escuchó la historia de la creación, la caída del hombre y como resultado la naturaleza pecaminosa de toda la humanidad, y el poder redentor de Jesucristo para salvarnos y para hacernos nuevos.

Esa tarde, Gina regresó a su casa, se miró al espejo y se horrorizó ante lo que veía.

En un inglés entrecortado, Gina dijo: "Cuando me miré en el espejo, me vi fea. Mi cara era oscura y sucia. Pude ver pecado. Nunca lo había notado antes, pero el pecado me hizo fea".

La siguiente semana, Gina regresó a la iglesia. Cuando el pastor invitó a los presentes a aceptar a Jesucristo como su Señor y Salvador al final del sermón, Gina corrió al frente. Con lágrimas en los ojos cayó de rodillas y tomó la decisión más importante y transformadora de su vida.

"Después de que acepté a Cristo, regresé a mi casa y me miré al espejo otra vez. Ahora era hermosa. ¡El pecado y la oscuridad habían desaparecido, y mi cara resplandecía!".

La aldea Potemkin

Se dice que en el año 1787, la emperatriz Catalina de Rusia visitó su más reciente conquista: la Crimea rusa. Para impresionar a la emperatriz, el ministro ruso Potemkin erigió aldeas ficticias a lo largo de las riberas desoladas del río Dniéper. Las fachadas de las supuestas aldeas estaban lo suficientemente lejos de la orilla del río para que, mientras navegaban por el área, la monarca y sus acompañantes no se dieran cuenta de que eran sólo fachadas. El propósito de esas aldeas resplandecientes era el de reconfortar a la monarca y a su cortejo mientras visitaban esas tierras, pero la realidad era que su conquista era un páramo yermo y pobre.

¡Qué parecido a los cambios de imagen de hoy en día! Nos ponemos fachadas de un hogar feliz con 2,5 niños, o de solteros divirtiéndose en un bar a media luz, o de ejecutivos con trajes de poder, o de cuerpos esculturales en el gimnasio… puras aldeas Potemkin. Al igual que Adán y Eva en el jardín del Edén, los hombres y las mujeres siguen intentando cubrir las apariencias. Pero cuando el Rey del universo pasa por aquí, él ve más allá de las fachadas. Al igual que un camarógrafo que aleja su cámara del escenario, así también Dios puede ver lo que es real. Él no quiere que vivamos en una aldea Potemkin, con sólo fachadas. Él desea transformarnos y conformarnos a imagen de Cristo. Él anhela que seamos nuevas para siempre.

Cuando Gina se hizo su tratamiento de belleza espiritual, se volvió una nueva creación en Cristo (2 Corintios 5:17). Dios tiene un vale gratis para cada una de nosotras para hacernos un tratamiento de belleza total en la clínica de belleza de su amor. Lo único que debemos hacer es aceptar su invitación. ¿Qué estamos esperando?

Una nueva tú
Cambia lo viejo
por lo nuevo

Juliana salió del vientre de su madre lista para enfrentar cualquier reto con determinación, cualquier celebración con entusiasmo y cualquier misterio con la pasión del descubrimiento. El color rojo ardiente de su cabellera hacía juego perfecto con su personalidad ardiente. Ella no hacía nada a medias sino a todo galope. De los tres hijos de la familia Price, Juliana era quien más frecuentaba la sala de emergencias para que la suturaran a causa de su poca precaución durante su niñez.

Un día, cuando Juliana tenía ya doce años, salió corriendo de su casa para ir a su clase de ballet. Apurada por subirse al coche, dio un portazo detrás suyo pero la puerta se cerró antes de que todos sus dedos cruzaran el umbral. Tal vez tú te has machucado los dedos con una puerta una o dos veces, y puedes recordar tus muecas de dolor. Pero Juliana nunca hacía las cosas por la mitad. Ella se detuvo y se volteó a ver sus apéndices atrapados por la puerta cerrada. Al abrir la puerta para sacar su mano, se aterrorizó al ver que no toda su mano estaba ahí. Se había amputado una tercera parte de su segundo dedo de la mano derecha.

"¡Ayúdenme, necesito que alguien me ayude! ¡Me acabo de cortar un dedo!".

Afortunadamente, la mujer que la recogía para llevarla a la clase de ballet era enfermera. Ella corrió para atender a la bailarina que gritaba y le preguntó:

—Juliana, ¿dónde está tu mamá?

—Ella no está —contestó Juliana entre sollozos—. No hay nadie en casa, sólo Daniel.

—De prisa —le dijo esta vecina—, debemos poner presión sobre ese dedo. ¡Daniel, ven a ayudarnos!

Daniel, el hermano de Juliana, tenía quince años. Al oír los gritos pidiendo ayuda bajó corriendo por las escaleras.

—Juliana se acaba de cortar un dedo. Tienes que encontrar el pedazo. Tenemos que ponerlo en hielo y llevar a tu hermana al hospital de inmediato.

Daniel, con el semblante pálido, fue a la escena del accidente. En cuanto inclinó la cabeza vio la punta del dedo cerca de sus pies. Intentando conservar el desayuno dentro del estómago, Daniel lo levantó con una toalla y se lo entregó a la enfermera.

La buena noticia es que ellos llegaron a tiempo al hospital. El diestro médico atendió a la niña lastimada y les dijo que oraran para que el dedo se soldara.

"Mantengamos los dedos cruzados", dijo el médico con una mueca al salir de la sala de tratamiento.

Unos días después, Juliana se quitó los vendajes, temerosa de lo que podría encontrarse debajo de ellos. Lo que vio no era muy alentador. En lugar de un dedo, vio algo como un hongo negro y grande sobre su nudillo.

La mamá de Juliana llamó al médico y le dijo:

—Doctor, hoy le quitamos los vendajes a Juliana. El dedo está negro y endurecido, y se ve como el sombrerete de un hongo. Se ve muerto.

—Eso es bueno —la tranquilizó el doctor—. No se preocupe. Si la naturaleza está trabajando como debe, y al parecer así es, la parte superior se va a poner negra, pero por debajo, los nervios y los vasos sanguíneos se están uniendo. Debajo de ese dedal se está formando un dedo nuevo. Juliana necesita la parte vieja para que la parte nueva se forme por debajo. En unas tres semanas sabremos si el procedimiento funcionó o no. Sólo manténgalo cubierto y limpio.

Unas semanas después del incidente, Juliana fue a pasar la noche con nosotros mientras participaba en un campamento de baile en la ciudad donde yo vivo. Tuve el agrado de su compañía, pero el desagrado de cambiarle los vendajes. La descripción que me había dado era muy acertada.

Cuatro semanas después de que Juliana regresó a su casa, me escribió una nota de agradecimiento por haberla recibido en nuestra casa. Ella finalizó su nota diciendo: "P.D. ¿Adivina qué? Mi dedal endurecido se cayó y ¡tengo un dedo nuevo!".

No me preguntes cómo sucedió. Para mí, es un misterio. Sin embargo, la Biblia nos habla de otro misterio que es igual de increíble. Otro proceso de injertos que es igualmente maravilloso. Como ya lo hemos visto, cuando Dios previno a Adán y Eva de que no debían comer del fruto del árbol del conocimiento del bien y del mal, les advirtió que su castigo por desobedecer sería la muerte. Ellos aún así lo comieron, y de inmediato su espíritu murió. Su vida *zoe* les fue arrebatada y fueron alejados de Dios. Como resultado, después de ese momento, toda persona ha nacido con el espíritu muerto, incluyéndote a ti y a mí.

Sin embargo, Dios no nos dejó así. Dios demostró su amor para con nosotros, en que siendo aún pecadores (separados, muertos, podridos hasta los huesos), Cristo murió por nosotros e hizo posible que fuéramos transplantados a la raíz viviente: él mismo (Romanos 5:8; 11:17, 18). En el preciso momento en que aceptamos a Jesucristo como nuestro Salvador, nosotros recibimos un espíritu viviente y nuevo (vida *zoe*) para reemplazar nuestro espíritu viejo y muerto. Dios lleva a cabo un tratamiento de belleza con nuestro espíritu en un abrir y cerrar de ojos, en tan solo lo que nos tome decir: "Sí, sí creo". Sin embargo, el tratamiento de belleza total; es decir, el proceso de Dios para darnos forma y moldearnos a la imagen de Cristo, ese toma toda la vida.

Veamos lo que acontece durante nuestro tratamiento de belleza espiritual.

El camino rumbo a la vida *zoe*

Los artículos de las revistas de belleza muestran fotografías del antes y el después para tener un efecto mayor. En algunas ocasiones, la transformación es tan dramática que nos preguntamos si en verdad es la misma persona. De la misma manera, después de que conocemos a Jesucristo, nuestro cambio debería ser muy dramático, al grado de que nuestros amigos y familiares se pregunten si *somos* la misma persona. La buena noticia: ¡No lo somos!

Echemos un vistazo a nuestra fotografía de "antes de Cristo". Así como es importante reconocer quién eres en Cristo, también es importante saber quién eres sin él. Tal vez, muchas de las citas bíblicas que menciono a continuación te serán conocidas. Si así sucede, no les eches un vistazo nada más, sino léelas despacio y con cuidado como si las estuvieras leyendo por primera vez.

Antes de conocer a Cristo:
- Estábamos muertas en nuestros delitos y pecados (Efesios 2:1).
- Complacíamos los deseos de nuestra naturaleza pecaminosa y nos dejábamos llevar por nuestros deseos y pensamientos (Efesios 2:3).
- Estábamos separadas de Cristo y sin esperanza (Efesios 2:12).
- Estábamos alejadas de Dios (Efesios 2:13).
- Éramos extranjeras y forasteras (Efesios 2:19).
- Éramos enemigas de Dios (Colosenses 1:21).
- Estábamos en tinieblas (1 Tesalonicenses 5:4).

- Éramos tinieblas (Efesios 5:8).
- Éramos esclavas del pecado (Romanos 6:17).
- No podíamos agradar a Dios (Romanos 8:8).

No es una fotografía muy bonita que digamos. Tal vez nos vemos muy bien por fuera, y tal vez nuestro tratamiento de *peeling* nos haya dejado el cutis radiante, suave y envidiable; pero antes de conocer a Cristo somos feas por dentro y estamos podridas hasta los huesos. Podemos intentar cubrir nuestra fealdad con hojas de higuera modernas, tales como el éxito financiero, automóviles flamantes, un maquillaje impecable, accesorios que coordinan, o ropa de marca, pero lo que hay por debajo de todo eso está muerto. Nuestros intentos son semejantes a tratar de poner maquillaje a un muerto para su funeral. No puedes esconder lo que hay debajo.

Nueva para siempre

A veces es fácil leer acerca de la falla de Adán y Eva en el jardín del Edén y preguntarnos: "¿Cómo pudieron ser tan desobedientes?". Pero en realidad, esa no es solamente la historia de Adán y Eva. Es nuestra historia también. Nosotras tomamos decisiones a diario que honran o deshonran a Dios. Nosotras desobedecemos, nos hacemos cargo de nuestra vida, y nos volvemos dueñas de nuestro propio destino. Por eso, al igual que Eva, nosotras tratamos de cubrir nuestra vergüenza y hasta intentamos escondernos de Dios.

¿Sabes cuál es la primera pregunta que Dios hace en la Biblia? Después de que Adán y Eva se escondieron de Dios tras unos arbustos él les preguntó: "¿Dónde están?". Dios sabía exactamente dónde estaban, qué habían hecho, y cómo los había engañado el enemigo. Sin embargo, él decidió continuar su relación con ellos y empezar el proceso de restauración que fue completado en la cruz del Calvario. Él nos hace la misma pregunta hoy en día, mientras nosotras intentamos escondernos de él... *¿dónde estás?*

Como ya dije antes, creo que las dos palabras "pero Dios" son las palabras más hermosas de las Escrituras. La Biblia dice: "Pero Dios demuestra su amor para con nosotros, en que siendo aún pecadores, Cristo murió por nosotros" (Romanos 5:8). ¿En qué momento nos volvimos pecadores? ¿La primera vez que pecamos? No, nosotros nacimos pecadores, y ese pecado es lo que nos separa de Dios. Aunque éramos pecadores, él se convirtió en el sacrificio perfecto por nosotros, no para cubrir nuestro pecado, sino para limpiarnos de él para siempre; una vez y para siempre. El oficial del Ejército de Salvación John Allen una vez dijo: "Yo merezco ser condenado al infierno, pero Dios interfirió"[1]. Dios interfirió, intervino e interceptó nuestra sentencia de muerte. Él envió a su Hijo, quien pagó la pena por nuestros pecados, y todo lo que nosotros debemos hacer para recibir el perdón es aceptar su regalo maravilloso.

¿Cómo recibimos el certificado de regalo para hacernos el tratamiento de belleza espiritual? "Si confiesas con tu boca que Jesús es el Señor, y si crees en tu corazón que Dios le levantó de entre los muertos, serás salvo" (Romanos 10:9). Cuando aceptas a Jesucristo como tu Salvador personal, eres liberada del castigo a causa del pecado (muerte espiritual y separación eterna de Dios), y él te da un nuevo espíritu viviente. "La salvación va de muerte en vida a vida sin muerte"[2].

"Y todo esto proviene de Dios, quien nos reconcilió consigo mismo por medio de Cristo" (2 Corintios 5:18). Permíteme dibujar esta imagen en tu mente. Imagínate estando de pie al borde de un enorme cañón llamado Pecado; un cañón tan amplio y profundo que no puedes ver el otro lado ni el fondo. Tu corazón anhela poder cruzar este cañón porque Dios vive al otro lado. La única cosa que te separa de Dios es este cañón de pecado, y cruzarlo es humanamente imposible.

Dios anhela tenerte en su presencia aún más de lo que tú lo deseas. Él sabía que tú no podrías cruzar por tus propias fuerzas. Por eso, él hizo algo increíble. Dios envió a su único Hijo, Jesús, a morir una muerte cruel en una cruz romana como sacrificio. Cuando Jesús dio su último aliento de vida y bajaron la cruz del montículo, uno de los extremos de esa cruz está ahora a tus pies, y el otro extremo atraviesa la barranca y llega hasta el otro lado.

¡Hay una manera de cruzar este cañón de pecado! Lo que era humanamente imposible fue posible de forma sobrenatural a través de la cruz de Cristo, y ahora tú puedes cruzar y llegar a los brazos amorosos de Dios quien "nos reconcilió consigo mismo por medio de Cristo".

¿Por qué Dios hizo esto por nosotros? "Porque de tal manera amó Dios al mundo, que ha dado a su Hijo unigénito, para que todo aquel que en él cree no se pierda, mas tenga vida eterna" (Juan 3:16). ¿Recuerdas las tres palabras griegas para vida: *bios, psyche* y *zoe*? ¿Puedes adivinar cuál de esas palabras es usada en Juan 3:16? ¡*Zoe*: vida del espíritu! Cuando tú crees en Cristo, tu espíritu vuelve a nacer y en ese momento pasas por un tratamiento de belleza espiritual total. "De modo que si alguno está en Cristo, nueva criatura es; las cosas viejas pasaron; he aquí todas son hechas nuevas" (2 Corintios 5:17). Nosotros, junto con el apóstol Pablo, podemos decir: "Con Cristo he sido juntamente crucificado; y ya no vivo yo, sino que Cristo vive en mí. Lo que ahora vivo en la carne, lo vivo por la fe en el Hijo de Dios, quien me amó y se entregó a sí mismo por mí" (Gálatas 2:20).

¿Y nuestras necesidades deslumbrantes? "Así pues, como uno solo cometió la falta y todos los hombres fueron condenados, así también uno solo cumplió la condena y todos los hombres tuvieron acceso a Dios y con ello la vida" (Romanos 5:18, La Biblia Latinoamericana). Todos fueron condenados a causa de la desobediencia de Adán, y todos los que aceptan a Jesús son liberados gracias a la obediencia de él. En el momento de tu salvación, todo lo que perdiste cuando Adán y Eva pecaron en el jardín del Edén, te lo devolvió Jesucristo cuando él entregó su vida en la cruz. Una vez más tú tienes:

1. Valor por quien eres en Cristo.
2. Seguridad por lo que tienes en Cristo.
3. Sentido de pertenencia por el lugar en el que estás en Cristo.

Tus necesidades deslumbrantes han sido satisfechas y transformadas en atributos incandescentes. La pregunta es: ¿por qué no actuamos como si nuestras necesidades ya han sido satisfechas? ¿Por qué seguimos luchando contra esos sentimientos de vergüenza, miedo, soledad y rechazo? ¿Por qué seguimos tratando de satisfacer nuestras necesidades por nuestros propios medios? Porque, aunque nuestro espíritu fue cambiado en un instante, nuestra mente debe ser renovada, nuestra voluntad debe someterse al control del Espíritu Santo, y nuestras emociones deben ser reprogramadas.

Salvación pasada, presente y futura

Antes de la creación, no existía el tiempo. Dios creó el tiempo cuando él hizo el sol y la luna. "Y fue la tarde y fue la mañana del primer día" (Génesis 1:5). Después él creó al hombre y a la mujer, y los puso en el medio continuo del tiempo y del espacio. Para Dios, el tiempo no existe aun ahora. Dios lo ve todo en un instante. Él es el mismo ayer, hoy y por los siglos (Hebreos 13:8). A su vista mil años son como un día (2 Pedro 3:8). Él ve el panorama entero del tiempo, desde el principio hasta el fin, todo al mismo tiempo. Pero nosotros somos criaturas restringidas por el tiempo.

Cuando usamos las palabras "he sido salvada", pensamos en tiempo dimensional. La salvación para nosotros involucra el pasado, el presente y el futuro.

1. En el pasado fuimos salvadas del castigo del pecado en el momento de la salvación. Los teólogos llaman a esto la *justificación*. Somos declaradas no culpables, como si nunca hubiéramos pecado. La justificación no

se logra por algo que hagamos; es un regalo de la gracia y misericordia de Dios. No somos salvas por cuán bien nos portemos, sino por lo que creemos.

2. En el presente somos salvadas del poder del pecado al ser conformadas a la imagen de Cristo. Los teólogos llaman a esto la *santificación*. La justificación es una acción y la santificación es un proceso. La justificación tiene lugar cuando el juez nos declara: *"no culpable"*, pero la santificación es el proceso que el Gran Médico realiza en nosotras. Este es el enfoque de nuestro tratamiento de belleza total.

3. En el futuro vamos a ser salvadas de la presencia del pecado. Un día vamos a dejar este planeta y nos reuniremos con Jesús en el cielo por toda la eternidad. Ya no habrá muerte, duelo, lágrimas o dolor. Aleluya, ya no habrá más pecado (Apocalipsis 21:1-5). Entonces viviremos la *glorificación*.

Desde el principio y hasta el fin, la salvación es la obra de Dios. Al mismo tiempo, la Biblia nos enseña que tenemos una responsabilidad dentro del proceso continuo de ser transformadas en la imagen de Cristo. La Palabra dice: "[despójate] del viejo hombre" (Efesios 4:22); "[renueva tu] entendimiento" (Romanos 12:2); "[revístete] de Cristo" (Gálatas 3:27); "[ocúpate de tu] salvación" (Filipenses 2:12); "[prosigue] a la meta" (Filipenses 3:14). Todo se trata solamente de Dios, pero él ha "decidido, en su soberanía, permitirnos participar en su obra"[3].

Ya que le hemos echado un vistazo al misterio de la línea de tiempo de Dios, ahora examinemos quiénes somos nosotras en este momento… ¡hoy!

Tu nueva identidad

Hay un juego que he usado muchas veces para romper el hielo en conferencias o retiros. Cada persona tiene pegado en la espalda un papelito con el nombre de una persona famosa o infame. Todas las participantes van de una en una dándole claves de quiénes "son". "Tú siempre dejas para mañana las preocupaciones". "Tú tuviste tantos hijos que no supiste qué hacer". "Tú fuiste la reina del mambo". El objetivo del juego es adivinar tu identidad. Una vez que adivinas correctamente tu identidad, te vas a sentar.

Durante el juego, me sorprendo tanto por las similitudes con la realidad. Muchas veces, nosotras determinamos nuestra identidad por lo que otros dicen de nosotras. "Eres muy inteligente". "Eres un fracaso". "Eres muy bonita". "Tú puedes hacer cualquier cosa que te propongas". "Eres muy fea". "Estás gorda". Después de un tiempo, esos mensajes determinan la forma en que nos vemos a nosotras mismas, sean falsos o verdaderos. Sólo las personas maduras pueden darse cuenta de que la forma en que los demás las ven no hace que esa percepción sea verdad.

Una de las bendiciones más increíbles al entregarte a Cristo y pasar por ese tratamiento de belleza espiritual, es el recibir tu nueva identidad. En la Biblia, cuando Dios tocaba y cambiaba la vida de una persona, a veces le cambiaba el nombre. Él decía: "Y te será dado un nombre nuevo, que la boca del SEÑOR otorgará" (Isaías 62:2). Saulo se volvió Pablo, Abram se volvió Abraham. Sarai se volvió Sara. Jacobo se volvió Israel. Simón se volvió Pedro.

De igual forma, cuando aceptamos a Cristo, Dios nos da una nueva identidad y un nombre nuevo. Si queremos conocer nuestra verdadera identidad, lo único que tenemos que hacer es mirarnos en el espejo de la Palabra de Dios para descubrirla. Tal vez tu identidad es diferente a lo que otros han dicho sobre ti, pero ¿cuál crees que sea más precisa? ¿Quién crees tú que tiene una mejor percepción de quién eres, tu Creador u otras criaturas iguales a ti? Si hoy en día tú eres cristiana, los siguientes versículos describen tu nueva identidad.

Mi identidad en Cristo[4]

Mateo 5:13	Soy la sal de la tierra.
Mateo 5:14	Soy la luz del mundo.
Mateo 6:26	Soy de mucho valor para Dios.
Juan 14:20	Cristo vive en mí. Su Espíritu vive en mí.
Juan 15:1, 5	Soy una rama de la vid verdadera.
Juan 15:15	Soy amiga de Cristo.
Juan 15:16	He sido elegida y puesta por Cristo para ir y llevar fruto.
Romanos 5:9	He sido justificada por la sangre de Cristo.
Romanos 5:10	La muerte de Cristo me permite gozar de la reconciliación con Dios, y mediante la vida de Cristo tengo salvación.
Romanos 6:18	He sido liberada del pecado y ahora soy sierva de la justicia.
Romanos 8:1	Estoy libre de condenación.
Romanos 8:2	Soy libre en Cristo.
Romanos 8:17	Soy hija de Dios y coheredera con Cristo.
Romanos 8:37	Soy más que vencedora por medio de Cristo.
Romanos 15:7	Soy aceptada por Cristo.
1 Corintios 2:16	Tengo la mente de Cristo.
1 Corintios 3:16	Soy templo de Dios y su Espíritu vive en mí.

1 Corintios 6:11	He sido lavada, santificada y justificada en el nombre de Cristo.
1 Corintios 6:19	Soy templo del Espíritu Santo.
1 Corintios 12:27	Soy parte del cuerpo de Cristo.
2 Corintios 2:15	Soy la fragancia de Cristo.
2 Corintios 5:17	Soy una nueva creación.
2 Corintios 5:20	Soy embajadora de Cristo y una ministro de reconciliación.
2 Corintios 5:21	Yo soy la justicia de Dios en Cristo.
Gálatas 3:13	He sido redimida de la maldición de la ley.
Gálatas 4:7	Soy hija de Dios y heredera de Dios.
Efesios 1:1	Soy santa.
Efesios 1:3	Soy bendecida con toda bendición espiritual en Cristo.
Efesios 1:5	He sido adoptada en la familia de Dios.
Efesios 1:7	Tengo redención y perdón por medio de la sangre de Cristo.
Efesios 1:11	He sido elegida por Dios.
Efesios 1:13	He sido sellada con el Espíritu Santo.
Efesios 2:5	Estoy viva en Cristo.
Efesios 2:10	Soy hechura de Dios, creada en Cristo Jesús para hacer las buenas obras que Dios preparó de antemano para que yo las llevara a cabo.

Efesios 2:19	Soy conciudadana de la gente de Dios y soy miembro de la familia de Dios.
Filipenses 4:13	Todo lo puedo en Cristo que me fortalece.
Filipenses 3:20	Soy ciudadana del cielo.
Colosenses 1:13	Él me ha liberado de la autoridad de las tinieblas y me ha trasladado al reino de su Hijo amado (reino de luz).
Colosenses 2:10	He sido hecha completa en él.
Colosenses 3:3	Mi vida está escondida con Cristo en Dios.
Colosenses 3:12	Fui escogida de Dios, santa y amada.
1 Pedro 2:9	Soy linaje escogido, real sacerdocio, nación santa, pueblo adquirido de Dios para que anuncie las virtudes de aquel que me ha llamado de las tinieblas a su luz admirable.
1 Pedro 2:11	Soy una extranjera y forastera en este mundo.
1 Pedro 5:8	Soy enemiga del diablo.
1 Juan 1:9	Mis pecados han sido perdonados.
1 Juan 3:1-2	Ahora soy hija de Dios.
1 Juan 5:18	Nací de Dios, y el maligno (el demonio) no me toca.
Apocalipsis 21:9	Soy la novia de Cristo.

Todo eso es mucho como para ponerlo en tu tarjeta de identificación, pero a pesar de eso, esta es tu nueva identidad. Neil Anderson, en su libro *Victory Over the Darkness* (Victoria sobre la oscuridad), comenta:

> La razón por la que tantos cristianos no están disfrutando de la madurez y libertad que son su herencia en Cristo es porque siguen guardando una percepción equivocada de sí mismos. Ellos no se ven como en verdad son en Cristo. No entienden el cambio tan dramático que ocurrió en ellos en el momento en que confiaron en él. Ellos no se ven como Dios los ve, y hasta ese punto sufren por tener una pobre imagen de sí mismos. No comprenden su verdadera identidad y se siguen identificando con el Adán equivocado[5].

En ese párrafo, el Dr. Anderson me describe perfectamente. Yo no tenía idea de quién era yo, o de qué tenía, o de en dónde estaba en Cristo. Conforme Dios fue abriendo mis ojos a la verdad, me di cuenta de que la manera en que yo me veía a mí misma y la forma en que Dios me veía estaban en gran contraste una con otra. Entré en una crisis de creencias… ¿a quién le iba yo a creer?

¿Recuerdas el ejemplo de la manzana? Las semillas de una manzana determinan su identidad (ejemplo, *Granny Smith*, Deliciosa o Roma). De igual forma, tu "semilla" determina tu identidad. Tu semilla antigua era igual a la de Adán: corrupta, desobediente y esclavizada por el pecado. Tu semilla nueva es igual a la de Cristo: pura, correcta y santa. Tú eres nueva para siempre y el corazón de tu ser ha sido cambiado, tu verdadera naturaleza ha sido transformada. "Pues habéis nacido de nuevo, no de simiente corruptible sino de incorruptible, por medio de la palabra de Dios que vive y permanece" (1 Pedro 1:23).

Puedo oír a algunas de ustedes decir: "Bueno, yo no me siento muy virtuosa ni bendita". "No me siento como una santa". "Yo no me siento como una nueva creación". La palabra predominante en esas frases es "siento".

Debemos contestar esta pregunta: ¿Es verdad lo que dicen los versículos de la lista anterior? Sí, es la verdad, lo sintamos así o no.

Si continuamos poniéndonos la marca de pecadoras en lugar de la de santas, lo que estamos diciendo es que nuestra identidad está basada en nuestro desempeño y no en la obra conclusa de Cristo en la cruz. Estamos basando nuestra identidad en nuestro comportamiento, en vez de basarla en nuestro nuevo nacimiento; la basamos en nuestro desempeño, no en nuestra posición. Conozco a muchas personas que se portan "bien" pero que no se van a ir al cielo a causa de su posición; no han aceptado a Cristo y espiritualmente, están muertas. No estoy diciendo que una vez que somos cristianas dejamos de pecar. Esa sería una mentira ridícula. Juan escribió: "Si decimos que no tenemos pecado, nos engañamos a nosotros mismos, y la verdad no está en nosotros" (1 Juan 1:8). Lo que estoy diciendo es que nuestro pecado ya no define más quiénes somos. Yo era una pecadora que fue salvada por gracia. Ahora soy una santa que a veces peca. Es vital que comprendamos la diferencia entre "pecar" y "ser pecador".

Una vez vi una calcomanía en un auto que decía: "Dios lo dijo. Yo lo creo. Es verdad".

Pero, en realidad, Dios lo dijo y por lo tanto es verdad, lo creamos o no. Debo preguntarme si voy a ir por la vida controlada por mis emociones o controlada por la verdad. A menudo he escuchado que las emociones o los sentimientos son como la cola de un perro. Puedo asegurarte que si un perro salta una barda, la cola lo seguirá. Si tú empiezas a caminar en la verdad, tus emociones te seguirán eventualmente. Alguien dijo hace tiempo: "La fe es actuar como si Dios dijera la verdad". Una cosa es decir que creemos que Dios dice la verdad, pero es otra muy distinta actuar de esa forma.

Hay muchas personas que están tratando desesperadamente de convertirse en alguien que en realidad ya son en Cristo. Para ser libres, debemos asir nuestra verdadera identidad como hijas de Dios. No hay nada que podamos hacer para que nuestra identidad en Cristo sea más o menos verdadera que lo que ya es al momento de la salvación. Sin embargo, hay mucho que sí podemos hacer para lograr mayor poder en nuestra vida… creer.

Creer en tiempo presente

Efesios 1:13 dice: "En él también vosotros, habiendo oído la palabra de verdad, el evangelio de vuestra salvación, y habiendo *creído* en él, fuisteis sellados con el Espíritu Santo que había sido prometido" (énfasis agregado). Nosotros creímos —tiempo pasado— y fuimos salvadas, selladas y redimidas… ¡Somos suyas! La obra ya fue completada en el pasado, una sola vez y para siempre.

Ahora, leamos un poco más adelante en Efesios 1:18, 19: "Habiendo sido iluminados los ojos de vuestro entendimiento, para que conozcáis cuál es la esperanza a que os ha llamado, cuáles las riquezas de la gloria de su herencia en los santos, y cuál la inmensurable grandeza de su poder para con nosotros los que *creemos*, conforme a la operación del dominio de su fuerza" (énfasis agregado). Nosotros recibimos salvación cuando creímos (tiempo pasado). Nosotros tenemos gran poder cuando creemos (tiempo presente).

La palabra griega para "creer" que es utilizada en Efesios 1:18, 19 es un participio presente activo. Eso quiere decir que es un verbo de acción en progreso. "En otras palabras, la promesa dada en los versículos 19 al 20 no se aplica a aquellos que 'creyeron' como en el versículo 13 donde ellos tuvieron que creer para ser cristianos. En su lugar, se aplica a aquellos que están creyendo en Dios en el presente, activa y continuamente"[6].

Tal vez tú creíste en Jesús y sentiste la salvación. Pero, ¿crees en la Palabra de Dios por fe, y entiendes que tienes en tu vida el mismo poder que levantó de entre los muertos a Jesús? Está disponible para ti… si crees. El tratamiento de belleza total empieza con la verdad total, y continúa creciendo con nuestra fe y nuestro caminar en esa verdad.

Un árbol joven plantado en la tierra no se convierte en más árbol conforme va creciendo. Sólo se vuelve más fuerte y maduro. "La etapa de crecimiento no puede alterar el organismo; sólo puede asegurar que el organismo alcance su mayor potencial"[7]. Conforme las raíces de un árbol crecen más y más, produce una mejor muestra de hojas, una mejor sombra, mayor belleza que otros disfrutan, y ramas más fuertes para colgar columpios y para que los pájaros aniden. Sin embargo, sigue siendo un árbol. No hay nada que puedas hacer para que tu identidad sea más verdadera de lo que fue al momento en que aceptaste a Cristo como tu Salvador. Pero sí hay mucho que puedes hacer para que haya mayor poder en tu vida conforme maduras.

Todo empieza con creer la verdad. Es un paso de fe: "La fe es la constancia de las cosas que se esperan, la comprobación de los hechos que no se ven" (Hebreos 11:1). Es "actuar como si Dios dijera la verdad".

"Pero yo no actúo como una santa", tal vez estarás diciendo. Puede que algunas veces yo no actúe como una santa pero, no obstante, esa es mi nueva identidad. Mi identidad no se basa en desempeño, sino en posición; no en cómo actúo, sino en quién soy yo. Cuando tenía cinco años, yo me comportaba más como un varón que como una niña. Me subía a los árboles, evitaba las muñecas, arrojaba piedras, y me negaba a usar blusas. Pero te aseguro que eso no me hacía ser un varón; yo era una niña.

Déjame darte otro ejemplo. Cuando yo nací (físicamente) tuve un padre. Su nombre era Allan Edwards. Como hija suya, yo llevaba su sangre por mis venas. No hay nada que yo pueda hacer para cambiar eso. ¿Qué hubiera sucedido si me hubiera escapado de casa y me hubiera cambiado el nombre? ¿Seguiría siendo parte de la familia Edwards? Sí, mi nombre tal vez sería diferente, pero yo seguiría siendo parte de la familia Edwards.

No hay nada que yo pueda hacer para cambiar mi situación como hija física de Allan Edwards, y una vez que acepté a Cristo ya no hay nada que pueda hacer para cambiar mi posición como hija espiritual de Dios. Mi comportamiento puede cambiar la cercanía de nuestra relación, pero mi posición como hija de mi padre terrenal, y como hija de mi Padre celestial, permanece sin cambio.

Hazme un favor. Coloca este libro sobre tus piernas. Entrelaza tus manos y fíjate cuál dedo pulgar está hasta arriba, si el derecho o el izquierdo. Abre las manos, entrelaza cada dedo con un nudillo diferente y coloca el pulgar opuesto hasta arriba. ¿Se siente incómoda esta nueva posición? De igual manera, el aceptar tu nueva identidad en Cristo al principio puede hacerte sentir incómoda, pero conforme pases más tiempo con quien te transformó, vas a empezar a verte como Dios te ve: ¡Absolutamente hermosa!

La aceptación de Debbie de su nueva identidad

Los abuelos paternos de Debbie tenían un ama de llaves y un jardinero quienes vivían en el apartamento de su sótano. Silas y Nina eran como parte de la familia y habían vivido con los abuelos desde que Debbie tenía memoria. En muchas ocasiones, cuando los abuelos y los padres de Debbie salían a cenar, ella y su hermana mayor se quedaban bajo el cuidado de Silas y Nina. Los padres de las niñas no tenían ni la menor idea de que Silas estaba abusando de sus preciosas hijas una y otra vez.

Desde que Debbie y Beth tenían tres y seis años respectivamente, hasta que cumplieron diez y trece años, Silas tocaba y abusaba sexualmente de las niñas en el apartamento del sótano, iluminado tan solo por el brillo intermitente de la televisión en blanco y negro al fondo. Mientras Silas devastaba el cuerpo de Debbie, su hermana sostenía entre sus manos el rostro de su hermana y le contaba cuentos. Juntas, las niñas escapaban a un mundo lejano mientras frente a ellas sucedía la peor de las pesadillas.

Silas les advertía: "Si le dicen a alguien, voy a lastimar a su hermano". Así que las niñas sufrieron en silencio.

Cuando Debbie tenía diez años, ella y su hermana pasaron la noche en casa de su abuela materna mientras sus padres estaban fuera en un viaje de negocios. La anciana abuela se detuvo ante la puerta abierta para ver a sus preciosas nietas arrodilladas junto a la cama. Abrazadas una a la otra, las niñas empezaron a decir sus oraciones.

Lo que empezó como una tranquila imagen de inocencia, se transformó en un nimbo de oscuridad terrible. La abuela se apretó el corazón fuertemente al oír a las dos pequeñas orar: "Amado Dios, gracias por mami y papi y Kevin, y por el abuelo y la abuela Wilson, y por la abuela James. Te pedimos que nos protejas de Silas y que no permitas que nos siga lastimando ni tocando en nuestras partes privadas. Te pedimos que…"

Lo demás fue borroso.

La abuela corrió llorando hacia las niñas y las abrazó en su pecho. Unas horas después, en las horas tempranas de la madrugada, sus padres regresaron de su viaje de negocios dos días antes de lo previsto. Las niñas podían oír a sus padres llorando en la habitación contigua, pero nada se mencionó respecto a Silas. Todo lo que supieron fue que la siguiente vez que fueron a la casa de los abuelos Wilson, Silas y Nina ya no estaban.

Muchos años pasaron casi sin hacer mención de los años de abuso que sufrieron las niñas. Como los buenos veteranos de guerra, que nunca hablan de los horrores del campo de batalla, las niñas nunca volvieron a hablar del abuso. Sin embargo, el dolor crónico del pasado fue una corriente subterránea para toda su existencia. Debbie se sentía sucia, usada y de poco valor. Ella se sentía como algo que está dañado y que nadie quiere comprar.

Debbie aceptó a Jesús como su Salvador cuando aún era niña, pero le costaba trabajo creer que él podía aceptarla. Ella no se veía como una hija de Dios preciosa y santa, vestida de justicia. Se veía como una huérfana sucia y vestida con harapos. Un buen día, asistió a un estudio bíblico y por vez primera oyó hablar de su identidad como hija de Dios.

"Yo no me sentía como una hija de Dios santa, pero la Biblia decía que eso era yo", explicó Debbie. "Leí y volví a leer esa lista de quién soy en Cristo. Conforme estudiaba más y más sobre mi nueva identidad y sobre la verdad que nos hace libres, empecé a aceptarlo como la verdad. Comencé a darme cuenta de que Satanás era quien mantenía en mi mente la imagen de Silas y de lo que me había hecho, para hacerme creer que yo era quien él decía. Dios tomó la verdad y la ungió en mi roto corazón como si fuera un ungüento para sanarme. Él colocó una corona de princesa sobre mi cabeza y lavó las cenizas. Él me dio el aceite de la alegría, en lugar del aceite de tristeza, y me vistió con un atuendo de alabanza en lugar del de desesperanza. Mi identidad ya no estaba determinada por lo que me sucedió cuando era una niña. Mi identidad ahora está determinada por lo que me pasó a través de Jesucristo".

Debbie aceptó su nueva identidad. Estaba ahí todo el tiempo, así como una capa que esperaba ser puesta sobre los hombros de la princesa. Ella recibió el manto de justicia y ahora camina con la confianza de una hija amada del Rey. Para mí, ella se ve como una reina. Debbie es una de mis heroínas.

¿Y tú? ¿Ya aceptaste tu nueva identidad? ¿Estás lista para empezar a creer la verdad? Dios te está preguntando, amada: "¿Dónde estás?".

Espejito, espejito mágico
Mírate como
Dios te ve

Hace mucho, mucho tiempo, en una tierra lejana, vivía una bella princesa llamada Blanca Nieves. Su madrastra, la reina, era muy cruel y celosa de la belleza de Blanca Nieves. Todos los días, la vanidosa reina se miraba en su espejo mágico y preguntaba: "Espejito, espejito mágico, ¿quién es la más bella de todas?". Por muchos años el espejo respondió: "Tú eres la más bella de todas, oh Reina". Mientras tanto, Blanca Nieves creció, se convirtió en una bella doncella y, como dice el dicho: "El espejo nunca miente".

Un día la reina se acercó a su espejo mágico y preguntó: "Espejito, espejito mágico, ¿quién es la más bella de todas?". Para su pesar, la reina escuchó la respuesta que ella sabía vendría algún día inevitablemente.

"Grande es tu belleza, su Majestad. Pero, he aquí, una bella doncella veo yo, una que es más bella que tú. Sus labios son rojos como una rosa, su cabello es tan negro como ébano, su piel es tan blanca como la nieve".

La reina chilló de rabia, sabiendo que el espejo no hablaba de otra sino de Blanca Nieves, su bella hijastra. Inmediatamente la reina decidió eliminar la competencia. Ordenó a uno de sus cazadores que llevara a la hermosa princesa lejos del palacio y la matara.

Al día siguiente, el cazador llevó a la princesa al bosque pero no pudo matar a alguien tan bella. La dejó en el bosque esperando que la reina creyera que él había cumplido su misión. Poco después Blanca Nieves se encontró con siete adorables enanitos con corazones gigantes quienes la amaron y cuidaron.

Al día siguiente, la malvada reina preguntó al espejo una vez más: "Espejito, espejito mágico, ¿quién es la más bella de todas?". Una vez más, el espejo contestó: "Blanca Nieves".

Al darse cuenta de que su competencia estaba viva, la reina se transformó en una bruja (lo cual no le costó mucho trabajo) y salió a buscar a la joven. Cuando la encontró, diseñó un plan a prueba de fallas al ofrecerle a Blanca Nieves una manzana envenenada para matarla.

Los enanitos le habían advertido a Blanca Nieves que no hablara con desconocidos mientras ellos hacían sus tareas en el bosque. Pero cuando la bruja llegó ofreciéndole la rica manzana, Blanca Nieves tomó un pedazo y cayó en un sueño profundo.

Como niña, recuerdo leer el cuento de Blanca Nieves y casi llorar ante la fatalidad de alguien tan bella. Como adulta, lo leí y me di cuenta de que es más que un cuento de hadas; es también nuestra historia. Satanás fue una vez un príncipe bello. Ezequiel lo describe como alguien que fue "lleno de sabiduría y perfecto en belleza", adornado con toda clase de piedras preciosas. Fue elegido como un querubín protector; estaba en el santo monte de Dios (Ezequiel 28:12-14). Pero el orgullo fue su ruina, y quiso ser igual a Dios. Como resultado, Dios echó a Satanás del cielo con la tercera parte de los ángeles (Isaías 14:12-23). Luego de su caída, ya no era "el más bello de todos". Satanás, como la cruel y malvada reina, vino tras nosotros con la fruta envenenada de la desobediencia.

Pero el cuento de Blanca Nieves no terminó cuando ella fue hechizada. Un día, un apuesto príncipe iba galopando a través del bosque en su caballo blanco. Cuando vio a Blanca Nieves en su profundo sueño, se enamoró de ella y la besó en los labios. Cuando hizo eso, ella se sentó, parpadeó, y regresó a la vida. El príncipe tomó a Blanca Nieves en sus brazos y la llevó a su castillo donde vivieron felices para siempre.

Queridas hermanas, un apuesto Príncipe ha venido a nuestra vida. Su nombre es Jesús. Nuestro príncipe ha puesto un beso en nuestros labios, nos ha tomado entre sus fuertes brazos y nos ha quitado la horrible maldición.

Nosotras no necesitamos un espejito mágico que nos diga cuán hermosas somos. La Biblia es el único espejo que necesitamos. Cuando nos reflejamos en la Palabra de Dios, él nos dice exactamente quiénes somos, qué tenemos, y dónde estamos: nosotras somos espiritualmente hermosas en Cristo. Vamos a mirarnos más de cerca en el único espejo que importa y vamos a examinar el reflejo que encontraremos ahí.

Quién soy en Cristo

Soy una santa (Efesios 1:1)

Cuando doy conferencias para mujeres, a menudo digo: "Si te consideras una pecadora salvada por la gracia, por favor levanta tu mano". Rápidamente se ven muchas manos alzadas con gran confianza en todo el auditorio.

"Perfecto", continúo. "Ahora, si tú te consideras una santa, por favor levanta tu mano". Con esta pregunta, muy pocas, si acaso alguna mano se alza. ¿Cuál describe de forma más acertada la nueva identidad de los cristianos? La Biblia se refiere a los cristianos como santos. Pablo nunca escribió: "a los pecadores de Filipos, o "a los pecadores de Corinto". Él se refería a los cristianos como santos. Él escribió: "A la iglesia de Dios que está en Corinto, a los santificados en Cristo Jesús y *llamados a ser santos*, con todos los que en todo lugar invocan el nombre de nuestro Señor Jesucristo, *Señor* de ellos y nuestro" (1 Corintios 1:2, énfasis agregado).

"En la Biblia, los creyentes son llamados 'santos' o 'virtuosos' más de 200 veces. En contraste, los no creyentes son llamados 'pecadores' más de 300 veces. Claramente, el término 'santo' es utilizado en las Escrituras para hacer referencia a los creyentes, y 'pecador' es utilizado en referencia de los no creyentes"[1].

Pablo se refirió a sí mismo como el "peor de los pecadores" (1 Timoteo 1:16). Pero muchos estudiosos creen que él se estaba refiriendo a su vida antes de conocer a Jesús en el camino a Damasco.

> Pablo aseguraba que, de todos los pecadores, él era "el peor", "el primero" o "el jefe". Él se sentía de esa manera porque había perseguido con tanto ímpetu a los seguidores de Cristo. En lo que respecta a moralidad, el joven Saulo había sido un estricto fariseo que vivió una vida intachable ante la ley (Filipenses 3:5, 6). Pero en su caso, como jefe de los pecadores, la "paciencia ilimitada" de Cristo se mostró como un ejemplo para todos lo que creerían en Jesús y recibirían vida eterna. La vida de Pablo fue una demostración poderosa de lo que puede hacer la gracia divina"[2].

La misma gracia divina es lo que nos permite ser llamados santos.

Un mensaje predominante del Nuevo Testamento es que todos somos santos por la gracia de Dios, santificados porque estamos en Cristo; no porque nos ganamos ese título, sino porque Jesús lo ganó para nosotros. Nosotros no somos simples pecadores que luchan por hacer lo mejor y ser mejores mientras esperamos que Jesús regrese. Nosotros tenemos una identidad nueva y ya no somos simplemente el producto de nuestros errores, dolores y decepciones del pasado, sino el resultado de la obra concluida de Jesucristo en la cruz.

Nosotros somos (llamados a ser) santos que a veces pecamos, pero el término "pecadores salvados por gracia" no está escrito en la Biblia[3]. Cuando tú te refieres a ti misma como "pecadora", estás diciendo que tu identidad en el fondo es el pecado. Sin embargo, la Biblia dice: "pues habéis nacido de nuevo, no de simiente corruptible sino de incorruptible, por medio de la palabra de Dios que vive y permanece" (1 Pedro 1:23). Al igual que en el ejemplo de la manzana, tú tienes una semilla nueva, un nuevo centro, una nueva identidad, y una nueva confianza como santo. Un santo no es una persona perfecta, sino alguien quien ha sido separado.

¿Cuándo te volviste una pecadora? ¿La primera vez que pecaste? No, tú naciste siendo pecadora. ¿Cuándo te volviste una santa? ¿La primera vez que te comportaste como santa? No, tú te volviste santa cuando naciste de nuevo (ver Juan 3:1-21).

Soy la sal de la tierra (Mateo 5:13)

¿Alguna vez has comido papas sin sal? No tienen sabor, están insípidas. Asimismo, el mundo sin cristianos no es un lugar muy atractivo.

La sal tiene tres propósitos primordiales: conservar, sanar y dar sabor. Como cristianas, uno de nuestros privilegios es el conservar lo que es correcto y bueno del mundo en que vivimos. A Satanás se le llama el león rugiente, que anda al acecho tratando de arrancar los valores judeocristianos del gobierno, de las escuelas públicas, del arte, de la industria del entretenimiento, y de la misma fábrica de la vida. Los cristianos, por otro lado, sirven para conservar los valores de nuestra herencia celestial.

La sal también es un agente de curación. Hacer gárgaras con sal sirve para sanar una garganta inflamada; nadar en el mar de agua salada ayuda a sanar una rodilla raspada; y el compañerismo con cristianos "llenos de sal" ayuda a sanar un alma lastimada cuando ellos son el canal para el bienestar espiritual, mental y físico que viene mediante la relación con Jehová-Rapha: el Señor que sana.

El uso más común de la sal es agregar sabor y, como cristianos, nosotros le damos sabor al mundo. Un experto cocinero me dijo una vez que la sal no sólo le da un sabor salado a la comida; también resalta el sabor natural del alimento al que es agregada. Como cristianos, nosotros "resaltamos" lo mejor que la gente lleva dentro.

Soy la luz del mundo (Mateo 5:14)

Jesús miró a las multitudes y les dijo a sus discípulos: "Ustedes son la luz del mundo". Yo imagino una serie de luces de Navidad que le da la vuelta al mundo, cada una agregando su propia luz al brillo colectivo de quienes reflejan la luz de Cristo. Somos parte de esa serie de luces.

Yo trabajé como higienista dental por 18 años. Catorce de esos años trabajé con mi esposo, Steve, y al lado de otras cuatro a seis mujeres cristianas. Cuando pienso en esos días, veo a nuestro equipo como si fuera un candelabro de luces, individuales pero unidas para hacer brillar la luz de Cristo a nuestros pacientes. En la recepción, además de revistas seculares, también teníamos revistas cristianas.

Steve y sus asistentes se "lanzaban" ideas sobre diferentes aspectos de la fe cristiana, como si fuera un partido de tenis, mientras trabajaban con sus pacientes. ¡Eso es lo que llamo un público cautivo! Orábamos con los pacientes, les enviábamos libros, y escuchábamos sus problemas familiares. Una vez alguien preguntó: "¿No le da temor que alguien se sienta ofendido y pierdan a ese paciente?".

—Tal vez alguno se vaya —contesté—. Una persona puede llegar al cielo con una caries, pero no puede ir al cielo sin conocer a Cristo.

De una forma muy simple, nosotros éramos luz en un mundo muy oscuro.

Piensa por un momento en lo que hace la luz. Expulsa a la oscuridad. Aún la velita más pequeña de cumpleaños puede hacer a un lado la oscuridad de un estadio. Jesús anima a los cristianos a no esconder su luz debajo de un recipiente, sino a ponerla en alto donde todos la puedan ver. Jesús dijo que él era la luz del mundo. Él ha puesto esa misma luz en nosotros y es parte de nuestra nueva identidad.

Robert Louis Stevenson dijo: "Cuando un hombre contento entra en una habitación, es como si se hubiera encendido otra luz". ¡Cuánto más iluminará una habitación un cristiano que tiene algo por lo cual estar verdaderamente feliz!

Soy elegida (Colosenses 3:12)

Carla era una rubia hermosa que cursaba su primer año en la Universidad del Estado de Georgia. Estaba muy emocionada por estar en la universidad y había esperado con gran ánimo el comienzo de esta nueva etapa en su vida. Entonces llegó una semana muy especial. En esa semana, todas las jóvenes que querían pertenecer a una organización estudiantil femenina iban de una en una a conversar con las jóvenes que ya eran miembros, con la esperanza de ser elegidas para convertirse en una de ellas. Carla fue la primera en inscribirse. Después de una larga semana llena de fiestas, conversaciones informales y una sonrisa permanente, las jóvenes esperaron ansiosamente la fiesta del viernes por la noche donde iban a anunciar las elegidas. Carla se estaba empezando a vestir para la celebración cuando sonó el teléfono.

—Hola —contestó muy contenta.

—Hola Carla, habla Cassie, la coordinadora. Lamento decirte esto, pero al revisar la lista me di cuenta de que nadie te eligió.

Esas palabras "Nadie te eligió" se quedaron en la cabeza de Carla por años.

Después de una conferencia donde hablé de nuestra nueva identidad en Cristo, Carla se acercó y me contó su historia. Ella no se la había contado a nadie antes, pero ahora estaba libre del dolor de aquellas palabras.

"Por vez primera, puedo sacar ese dolor de mi vida porque me di cuenta de que *yo sí* fui elegida. Dios me eligió. Él me eligió a mí. Si aquellas muchachas no lo hicieron, Dios me eligió a MÍ, y eso es más impresionante que cualquier organización estudiantil".

Dios te eligió, hermana preciosa. Así como un novio elige, busca con afán y atrapa el amor de su vida, ¡él te eligió a ti!

Soy hechura de Dios (Efesios 2:10)

Cuando mi hijo estaba en la escuela primaria hizo varios trabajos de arte que tenían un parecido impresionante a los del reconocido artista Picasso. Sin embargo, las pinturas de Picasso valen millones de dólares y las de mi hijo sólo tienen valor para mí. ¿Qué hace que una obra de arte tenga valor? Tiene valor según el artista que la creó. Tú, querida amiga, eres una obra de arte que no tiene precio pues fuiste creada por Dios mismo. El rey David describe eso de la siguiente manera:

> Porque tú formaste mis entrañas;
> Me entretejiste en el vientre de mi madre.
> Te doy gracias, porque has hecho maravillas.
> Maravillosas son tus obras,
> Y mi alma lo sabe muy bien.
> No fueron encubiertos de ti mis huesos,
> A pesar de que fui hecho en lo oculto
> Y entretejido en lo profundo de la tierra.
> Tus ojos vieron mi embrión,
> Y en tu libro estaba escrito todo aquello
> Que a su tiempo fue formado,
> Sin faltar nada de ello (Salmo 139:13-16).

Tú eres una obra de arte, una obra maestra, un original de gran valor, única en su tipo.

He sido adoptada en la familia de Dios (Efesios 1:5)

Mi amiga Debbie llevó a su hijo de trece años al dermatólogo para que le revisaran unos lunares algo extraños. El doctor le preguntó a Debbie:

—¿Hay alguien en su familia o en la de su esposo que haya tenido melanoma u otro tipo de cáncer de piel?

—No, no me viene nadie a la mente —contestó ella—.

Él continuó haciendo otras preguntas sobre la historia médica de su familia.

Cuando terminaron de examinarlo, su hijo Jason la miró y le dijo:

—Mamá, cuando el doctor te preguntó sobre la historia médica de tu familia, eso no importa porque ¡soy adoptado!

—Tienes razón, Jason —contestó ella—. Se me olvidó por completo.

Me encanta esta historia. Debbie pasó cinco años haciéndose tratamientos contra la infertilidad, y dos años en lista de espera para adoptar a un niño. Ocho meses después de adoptar a Jason, ella se enteró de que estaba embarazada y que sería otro niño: Jordan. Curiosamente, por casi toda su vida los dos niños parecían mellizos.

La parte de la historia que me parece tan dulce es el hecho de que Debbie olvidó que Jason había sido adoptado. Efesios 1:5 dice que nosotros hemos sido adoptados como hijos a través de Jesucristo. Dios nos ha elegido para ser suyos. Somos los hermanos y hermanas adoptivos de Jesús. Yo pienso que, al igual que Debbie, a Dios probablemente se le olvida que somos adoptados; él simplemente nos ve como sus hijos.

Somos santas, la sal de la tierra, la luz del mundo, elegidas por Dios, hechura de Dios, y adoptadas en su familia. Estos son sólo seis de los muchos versículos que describen nuestra nueva identidad en Cristo. Tú también eres hija de Dios, santa y muy amada.

Lo que tengo en Cristo

He sido bendecida en Cristo con toda
bendición espiritual (Efesios 1:3).

"¡No puedo hacer eso! No soy lo suficientemente inteligente ni talentosa, y tampoco tengo la preparación suficiente". Dios debe estremecerse cada vez que oye a sus hijos decir tales palabras. ¿Cuántas veces él ha escuchado esas palabras de mi boca? La Biblia dice que yo he sido bendecida "en Cristo con toda bendición espiritual en los lugares celestiales" (Efesios 1:3). Con esto en mi currículum vitae, "¡Todo lo puedo en Cristo que me fortalece!" (Filipenses 4:13) debería ser la respuesta a cada tarea que Dios me da.

Nunca voy a olvidar un día cuando estaba en una sala de reuniones llena con ejecutivos de una casa editorial importante, y yo les explicaba mi pasión por animar y brindar herramientas a las mujeres mediante lo que escribo y digo. Justo a la mitad de mi presentación de la propuesta de mi libro, uno de los directores me interrumpió para preguntarme: "Discúlpame Sharon, pero ¿qué título universitario tienes?".

Tímidamente contesté: "Tengo un título en higiene dental".

Mi mente regresó en el tiempo hasta una ocasión cuando una entrevista por televisión nos mostró a Lysa TerKeurst y a mí grabando nuestro programa internacional de radio. Al explicar el crecimiento y éxito del programa, el comentarista dijo: "Sharon y Lysa no son profesionales capacitadas en la radio". Al principio pensé que no había necesidad de que él dijera eso. Pero después me reí entre dientes y asentí. ¡Él tenía razón!

Es cierto; no tengo un título en letras, ni en el arte de escribir, ni en radio o en oratoria, o en teología. Pero he sido bendecida con toda bendición espiritual en los lugares celestiales, y tú también.

Dios me he dado al Espíritu Santo
como garantía (Efesios 1:13, 14)

El Pedro que vemos en los Evangelios (Mateo, Marcos, Lucas y Juan), y el Pedro que vemos en Hechos, no parecen el mismo hombre. Es obvio que entre la crucifixión de Jesús —cuando Pedro lo negó tres veces— y el Pentecostés —menos de dos meses después, cuando él predicó con gran poder y trajo a 3.000 personas a Cristo— ese Pedro experimentó una infusión de poder y confianza. ¿Qué fue lo que paso? Él recibió el regalo del Espíritu Santo.

Antes de que Jesús dejara a sus discípulos, él les hizo unas promesas muy poderosas: "Pero el Consolador, el Espíritu Santo, que el Padre enviará en mi nombre, él os enseñará todas las cosas y os hará recordar todo lo que yo os he dicho" (Juan 14:26). "Pero recibiréis poder cuando el Espíritu Santo haya venido sobre vosotros, y me seréis testigos en Jerusalén, en toda Judea, en Samaria y hasta lo último de la tierra" (Hechos 1:8).

Pedro recibió ese poder y comenzó a cambiar al mundo entero. La buena noticia es que Dios te ha dado ese mismo poder. Jesús dijo: "De cierto, de cierto os digo que el que cree en mí, él también hará las obras que yo hago. Y mayores que éstas hará, porque yo voy al Padre" (Juan 14:12).

Dios te ha dado el poder del Espíritu Santo, y eso solamente es la garantía de lo que ha de venir.

Soy coheredera (Romanos 8:17)

Imagínate que te acaban de informar que eres la heredera de una mansión de muchos niveles y equipada con cada tesoro concebible. Seguramente tú subes corriendo por las escaleras de ladrillo de la entrada, abres de golpe las enormes puertas de cedro, y vas de habitación en habitación casi sin creer la buena fortuna que te acaba de ser entregada. Sin embargo, descubres que la decoración no es la adecuada para una reina, como tú lo esperabas, sino habitaciones corrientes, amuebladas con lo básico y decoradas austeramente.

En el vestíbulo hay unas escaleras con un hermoso riel de madera, adornadas con una acolchonada alfombra roja que invitan a subir al siguiente nivel. Consideras los escalones, miras atrás y decides: "El piso de abajo es más que suficiente para mí. Además, las alturas me dan miedo. Mejor me voy a quedar aquí abajo donde estoy segura".

Lo que tú no sabes es que los pisos superiores de la casa guardan todos los tesoros que han sido destinados a ser tu herencia, pero tú te has quedado detenida en las habitaciones de los sirvientes. Arriba espera un salón de baile decorado con oro que será usado para los bailes con el Rey; un comedor con candelabros para los banquetes; camas de cuatro postes con colchones de la mejor calidad para un descanso lleno de paz; una caja fuerte llena de suficiente oro y plata como para durar toda una vida; y un alhajero que guarda las joyas de la familia.

Todo lo que se interpuso entre tú y el tesoro fue la escalera. ¿Qué fue lo que te retuvo en la planta baja? ¿Contentamiento con la mediocridad? ¿Falta de conocimiento? ¿Temor a lo desconocido?

Todas tenemos una herencia de nuestro Padre celestial. Todas somos coherederas con Jesucristo. Pero muy a menudo pasamos nuestros días en las habitaciones de los sirvientes y nunca subimos las escaleras para llegar hasta donde están guardadas las verdaderas riquezas.

Podemos avanzar confiadas, sabiendo que, sea lo que sea a lo que Dios nos llame a hacer, él nos proveerá con lo que necesitemos. Si él nos da la visión, él también nos dará la provisión. Él no necesariamente llama a los capacitados, pero él siempre capacita a los llamados.

He sido capacitada para toda buena obra (2 Timoteo 3:16, 17)

Usemos nuestra imaginación por un momento. Vamos a suponer que tú traes puestos gafas acuáticas, traje de buzo, aletas, y un tanque de oxígeno sobre tu espalda. En este caso, ¿para qué actividad estás bien equipada? Espero que digas: buceo acuático.

Bueno, supongamos que ya estás bien equipada para ir a bucear al fondo del mar y explorar las maravillas del océano; pero en lugar de eso, te encaminas al baño y te metes en tu tina de baño llena con agua. Y te sientas ahí, vestida con un traje de buzo y jugando con un patito de hule.

Espero que en este momento tengas una sonrisa en tu cara. Dios nos ha equipado y nos ha dado el poder para hacer las buenas obras que él de antemano ha preparado para que las hiciéramos (Efesios 2:10). Él nos ha dado el poder del Espíritu Santo, los dones del Espíritu Santo, y la mente de Cristo. Muchas de nosotras necesitamos salirnos de la tina y empezar a bucear en el océano de la oportunidad para explorar las maravillas del increíble mundo de Dios.

Somos bendecidas con toda bendición espiritual, somos coherederas con Cristo, se nos ha otorgado el poder del Espíritu Santo como garantía, y se nos ha equipado para toda obra buena que él nos llame a realizar.

Dónde estoy en Cristo

Yo estoy en Cristo (Efesios 1:3-13)

Una de las situaciones más buscadas por cualquier estudiante de secundaria es el ser considerado parte de un grupo. Pues bueno, te tengo buenas noticias: si eres cristiana, tú eres parte del único grupo que importa. De niña a menudo escuchaba a la gente decir que nosotros tenemos a Jesús en nuestro corazón, pero no recuerdo que alguien dijera alguna vez que nosotros podemos estar *en él*. Así, por cada vez que la Biblia dice que Cristo está en el creyente, hay diez más que dicen que el creyente está en Cristo. Por lo menos unas 40 veces en el breve libro de Efesios, Pablo escribe que nosotros estamos *en Cristo*. Vean estos versículos:

Bendito sea el Dios y Padre de nuestro Señor Jesucristo, quien nos ha bendecido *en Cristo* con toda bendición espiritual en los lugares celestiales. Asimismo, nos escogió *en él* desde antes de la fundación del mundo, para que fuésemos santos y sin mancha delante de él. *En amor* nos predestinó *por medio de Jesucristo* para adopción como hijos suyos, según el beneplácito de su voluntad, para la alabanza de la gloria de su gracia, que nos dio gratuitamente *en el Amado*. En él tenemos redención por medio de su sangre, el perdón de nuestras transgresiones, según las riquezas de su gracia que hizo sobreabundar para con nosotros en toda sabiduría y entendimiento… *En él* también recibimos herencia, habiendo sido predestinados según el propósito de aquel que realiza todas las cosas conforme al consejo de su voluntad, para que nosotros, que primero hemos esperado *en Cristo*, seamos para la alabanza de su gloria. *En él* también vosotros, habiendo oído la palabra de verdad, el evangelio de vuestra salvación, y habiendo creído *en él*, fuisteis sellados con el Espíritu Santo que había sido prometido (Efesios 1:3-8, 11-13, énfasis agregado).

Durante una primavera nuestra familia hospedó a un estudiante extranjero de Rusia en un programa de intercambio. Antes de irse nos regaló un juego de muñecas rusas de madera de diferentes tamaños. La primera muñeca medía unos dos centímetros y cabía dentro de una muñeca más grande, la cual cabía dentro de otra más grande. ¡Qué imagen de estar en Cristo!

Antes de ser crucificado, Jesús oró por ti y por mí. Él dijo: "En aquel día vosotros conoceréis que yo soy en mi Padre, y vosotros en mí, y yo en vosotros" (Juan 14:20). Jesús en ti y ambos en Dios. (Jesús está en ti, tú estás en Jesús, y él está en Dios).

En su libro *The Confident Woman* (La mujer segura), Anabel Gillham sugiere tomar tres sobres de tamaños diferentes y un pedazo de papel. En el sobre más grande, escribe DIOS. En el sobre que sigue, escribe JESÚS. En el sobre más pequeño, escribe tu nombre. Después en el pedazo de papel escribe JESÚS. Ahora, coloca el papel (Jesús) en el sobre más pequeño (tú). Coloca ese sobre dentro del sobre que dice Jesús. Al final, coloca ese sobre en el sobre más grande (Dios). Esa es la imagen de Juan 14:20. Antes de que cualquier cosa pueda llegar hasta ti, tiene que pasar por Dios el Padre, a través de Jesús el Hijo, y cuando llega a ti, llega lleno de Jesús. "¡Mira dónde estás! Segura, a salvo, resguardada, escondida, rodeada de amor"[4].

Soy ciudadana del cielo (Filipenses 3:20)

Durante la estadía del estudiante extranjero con nosotros tuvimos muchos retos. Su inglés era muy limitado, y dependíamos de señas y de expresiones faciales para poder entendernos. En una ocasión yo estaba tratando de que él les escribiera una carta a sus padres. Le di papel y pluma y, apuntando a la foto de su familia, le dije: "¿Por qué no le escribes una carta a tus papás?". Él no entendía ni una palabra de lo que yo le decía.

Por veinte minutos dibujé cosas para tratar de hacerle entender. Finalmente, con lágrimas en sus ojos me miró y me dijo: "¿Qué hacer?".

Yo simplemente lo abracé, y guardé el papel y la pluma.

Algunas veces me siento como nuestro amigo de Rusia. No entiendo la crueldad que leo en los periódicos o que escucho en las noticias. Estoy confundida por las actitudes de enojo de los conductores llenos de furia en los caminos. No entiendo cómo un adulto puede llegar a lastimar a un niño. Llena de confusión volteo la mirada hacia mi Padre celestial y le digo: "¿Qué hacer?".

Dios entonces me recuerda que yo jamás me sentiré en casa aquí en la tierra porque soy una extranjera, una forastera. Mi verdadera

ciudadanía está en el cielo, yo aquí sólo soy una estudiante de intercambio extranjera por un corto tiempo. Todavía no estoy en casa.

Muchas cristianas han conocido el poder salvador de Jesucristo
por 10, 20 ó 30 años, pero nunca entendieron cuál era su verdadera
identidad como hijas de Dios. Como resultado de eso, ellas han ido
por la vida sintiéndose inferiores, inadecuadas e inseguras. Pero cuando nosotras comprendemos nuestra persona —quiénes somos en
realidad— eso disipa los sentimientos de inferioridad. Cuando comprendemos nuestras posesiones —qué tenemos— eso disipa los sentimientos de insuficiencia. Cuando comprendemos nuestra posición
—dónde estamos—, eso disipa los sentimientos de inseguridad. Sólo
tenemos que mirarnos en el espejo de la Palabra de Dios para descubrir nuestra verdadera identidad.

Una percepción equivocada de la verdad

Había una vez una mujer ya mayor llamada Mildred. Había pasado todo el día en un centro comercial y salió con las manos llenas de
bolsas. Ya en el estacionamiento, se dio cuenta de que había seis hombres extranjeros sentados dentro de su auto. Yo hubiera ido a buscar a
un guardia de seguridad, pero no esta arrojada señora. Con paso firme
ella caminó hasta su auto y les gritó: "¡Sálganse de mi auto!".

Aparentemente, los seis hombres no entendían inglés y simplemente se voltearon al otro lado. ¿Qué haces cuando alguien no habla
inglés? Bueno, en el sur de Estados Unidos, nosotros le gritamos más
fuerte. "¡Sálganse de mi auto en este instante!", les gritó Mildred.

Una vez más, ellos dieron vuelta la cabeza y la ignoraron.

El esposo de Mildred era un policía jubilado. Él le había enseñado
a usar una pistola y le había insistido en que la llevara con ella en todo
momento. Con toda calma, Mildred puso las bolsas en el suelo, sacó
la pistola y dio un golpecito a uno de los hombres en el hombro.

"¡Les dije que se salieran de mi auto!", les gritó una vez más.

Tal vez esos hombres no entendían el inglés, pero sí entendieron la pistola. Ella dijo que en toda su vida nunca había visto a seis hombres correr tan rápido.

Satisfecha, Mildred tomó sus bolsas, abrió la puerta del lado del acompañante y colocó las bolsas en el asiento del frente. Sacó entonces su llave para encender el motor y de repente empezó a sentir un vacío en el estómago al darse cuenta de que muchas cosas en el auto no le resultaban conocidas. Ella trató de poner la llave en el encendido pero no entraba. Ahí fue cuando se dio cuenta de que ¡este no era su auto!

Mildred salió de un salto de ese auto y encontró el suyo a varios carriles de ahí. Nunca volvió a ver a los seis hombres.

Mildred tenía la llave correcta, ¿cierto? El problema fue que estaba sentada en el auto equivocado. Ella tenía una percepción equivocada de la verdad.

Toda cristiana tiene la llave para el tratamiento de belleza total: tener una relación personal y continua con Jesucristo. Pero muchas están atrapadas por una percepción equivocada de la verdad. Muchas están atrapadas en la playa de estacionamiento de la vida sin poder avanzar. Tienen la llave correcta, pero se preguntan por qué no pueden avanzar en su objetivo de llegar a ser la imagen de Cristo. Si tú te sientes estancada en tu caminar, tal vez tienes una percepción equivocada de la verdad.

La Palabra de Dios nos dice quiénes somos, qué tenemos y dónde estamos en Cristo. A través de Cristo, tú eres la más hermosa de todas porque cuando Dios te mira, él ve a su Hijo. Y recuerda: el espejo (la Palabra de Dios) no miente.

Una confianza firme
Supera los sentimientos de inferioridad, inseguridad e inadecuación

Era una tarde otoñal algo fría en las montañas de Ohio. Las hojas acababan de estrenar tonalidades escarlata, castaño rojizo y naranja bronceado, y se mostraban en todo su esplendor para la temporada. La primera helada empolvaba las llanuras como si fuera confeti para una gran celebración. Sí, el cambio se sentía en el aire.

Yo estaba hablando ante un grupo de mujeres en su retiro anual de otoño. El comité había trabajado por meses preparando las decoraciones, planeando la comida, y orando para que Dios protegiera a cada una de las asistentes. El tema de la semana era "Descubre a la novia de Cristo", y varias mujeres exhibieron en maniquíes sobre el escenario sus vestidos de novia de satén, encaje y bordados de perlas. A la entrada del santuario colocaron una enramada de rosas para dar la ilusión de que, al pasar por debajo de aquellos arcos y caminar sobre una alfombra roja, cada participante era en verdad una hermosa novia. Había también un libro de invitados con una pluma adornada con plumas blancas para registrar a cada invitada especial que llegaba. En el programa estaba impreso el pasaje bíblico de la semana.

Pero cuando se conviertan al Señor, el velo será quitado. Porque el Señor es el Espíritu; y donde está el Espíritu del Señor, allí hay libertad. Por tanto, todos nosotros, mirando a cara descubierta como en un espejo la gloria del Señor, somos transformados de gloria en gloria en la misma imagen, como por el Espíritu del Señor (2 Corintios 3:16-18).

Amanda era parte del equipo de líderes que estaba orando para que desapareciera el velo espiritual de aquellas asistentes a la conferencia. Ella no imaginaba que uno de los velos que iba a desaparecer sería el suyo.

En la escuela primaria, Amanda surgió como una líder. Constantemente estaba rodeada por sus compañeros que la admiraban, y era alabada por sus maestros que la adoraban pues sobresalía en todas sus materias. Desde que era niña, Amanda mostró gran talento para la música y aprendió a tocar varios instrumentos con gran facilidad.

Amanda llegó a la escuela secundaria con gran confianza en sus habilidades de estudiante, en su talento en la música, y en su carisma de líder. Sin embargo, a diferencia de su pequeña escuela primaria, ahora ya no era de las mejores alumnas ni tampoco se destacaba socialmente. Le costó trabajo cumplir con sus estudios y hacer amigos. Sus calificaciones bajaron, su peso subió y su confianza se desplomó.

"No sé exactamente qué sucedió", dijo Amanda. "Me sentí como si alguien se me hubiera metido y me hubiera robado la confianza. No me iba bien en la escuela, lo que me llevó a pensar que había perdido esa habilidad. Recuerdo a uno de mis maestros que me decía: 'Amanda, tu forma de escribir es excelente. Te expresas de forma hermosa cuando escribes. Pero en cuanto abres la boca, eres como un accidente a punto de suceder'. Desde ese momento, nunca volví a hablar en clase. Me sentía estúpida y cabeza hueca, y me daba miedo decir cualquier cosa en clase que confirmara la opinión que mi maestro tenía de mí.

"Mi autoestima se hundía más y más, y eso afectó una de mis mayores pasiones: la música. Al ver que cometía errores y tocaba con torpeza decidí que no tenía talento. Entonces guardé mi flauta en su estuche en el fondo de mi armario, junto con muchos de mis sueños y esperanzas. No tenía talento, entonces, ¿para qué intentar? También cerré la cubierta de madera sobre las teclas del piano, y las melodías que un día llenaban la casa de mis padres se acallaron.

"Yo era la menor de cuatro hijos. Dos hermanos y una hermana se fueron al mismo tiempo a la universidad lejos de casa o a proseguir sus carreras profesionales. Uno de mis hermanos era médico en un hospital en el extranjero, otro trabajaba para el gobierno en comercio internacional, y mi hermana estaba estudiando piano y canto en una universidad muy grande. Y luego estaba yo, la perdedora".

Amanda me dijo que se sentía como una fracasada en todo, viviendo bajo la sombra de sus triunfadores hermanos. Lo único que ella quería ser era ser esposa y madre. Pero eso no era suficiente ante sus padres, y se sentían decepcionados por la falta de ambición y deseos de éxito de su hija. Ella también sentía que sus padres estarían contentos una vez que "se la sacaran de encima".

En su penúltimo año de secundaria, Amanda recuerda el dolor que le causó oír una conversación entre sus padres y unos amigos:

—El próximo año van a tener el nido vacío. ¿Lo pueden creer? —preguntó el amigo.

—Eso es lo que esperamos —sus padres respondieron.

De hecho, durante los últimos dos años de la escuela secundaria de Amanda, ellos se comportaron como si el nido ya estuviera vacío, dejando a Amanda en casa sola por largos periodos de tiempo, mientras ellos recorrían el mundo en viajes de negocios.

Desanimada y sola, Amanda se sentía inferior a sus hermanos, inadecuada como estudiante y como mujer, e insegura sin nadie que la amara por el simple hecho de ser quien era. Sin embargo, en su primer año en la universidad, conoció a un joven que le decía palabras de amor y la llenaba de promesas. Cuando le propuso matrimonio, ella aceptó porque no sabía qué otra cosa hacer con su vida. Aunque los padres de Amanda le insistían a la joven pareja que esperara y que no dejara la universidad, Amanda se aferró a su oportunidad de ser feliz y ser amada antes de que se le escapara.

Amanda comentó: "En camino al altar el día de mi boda, el día que debía haber sido el más feliz de mi vida, me sentía como una fracasada y una decepción para mi familia. Yo empecé mi matrimonio siendo una persona herida, con una autoconfianza tan baja que no había manera de que yo pudiera ser de ayuda para alguien más".

No pasó mucho tiempo hasta que el esposo de Amanda empezó a decirle que era una estúpida y una inútil como esposa. Ella le creyó.

Después de su primer año de matrimonio, Amanda escuchó el evangelio por vez primera e inmediatamente aceptó a Jesucristo como su Salvador. Fue un bálsamo el saber que alguien la amaba tal como era, que alguien la valoraba como persona. Sin embargo, esos sentimientos de inferioridad, de inseguridad y de inadecuación aún dominaban su vida y sus emociones. Ella tenía muy poca confianza como esposa, como madre o como hija de Dios.

Durante el retiro del fin de semana, Dios abrió los ojos de Amanda a la verdad de las Escrituras. Vio que ella es una hija muy amada por Dios y que ha sido bendecida con toda bendición espiritual en los lugares celestiales. Ella vio por vez primera que Satanás era quien la tenía atada a sentimientos de falta de valor. El enemigo era quien le decía que era estúpida, no amada, sin valor y un fracaso. Pero esa no era la verdad en lo absoluto. Eran mentiras, todas mentiras.

"Aprendí que la Biblia dice que he sido escogida, que soy santa, que soy profundamente amada, que tengo la mente de Cristo, y que puedo hacer todo en Cristo que me fortalece. Tal vez no tengo un doctorado, no me gradué de la universidad, pero mi nombre está escrito en el libro de la vida, y esa es la única acreditación que necesito".

En ese retiro también animé a las mujeres a regresar al campo enemigo y recuperar lo que les habían robado. En 1 Samuel 30 leemos de cuando los enemigos del rey David atacaron su campamento y robaron las esposas e hijos de él y de sus soldados. Los hombres lloraron hasta que se les acabaron las fuerzas para seguir llorando, y algunos amenazaron con apedrearlo. El rey David no aceptó la derrota. Él reanimó a varios centenares de soldados para prepararse para la batalla. Los hombres de David marcharon llenos de confianza hacia el campamento del enemigo y recuperaron lo que les habían robado. De igual forma, nosotras tenemos un enemigo que nos ha robado. En Juan 10:10 leemos que Satanás es un enemigo que viene a robar, matar y destruir. Él intenta robarnos la paz, nuestra felicidad y nuestros sueños. Al igual que el rey David y sus valientes, nosotras tenemos que ir al campamento del enemigo y recuperar lo que nos han robado.

Después del retiro, Amanda decidió ir a casa y hacer justamente eso.

Al día siguiente, ella abrió el armario, extendió el brazo por entre tantas cosas guardadas y sacó su flauta que había estado durmiente por varios años. Con una renovada confianza en Cristo, se puso la flauta entre los labios, cerró los ojos y empezó a tocar como nunca lo había hecho antes. Una música celestial llenó su casa y su corazón. Dios restauró la confianza, la habilidad y el talento que el enemigo, por medio de mentiras, le había robado años atrás. Amanda abrió también el piano, y sus ágiles dedos tocaron como si fuera una pianista con gran experiencia. Las notas que habían estado silenciadas ahora brotaban a la vida al tocar de sus dedos.

La transformación de Amanda fue fenomenal. Debo decirte que ella es una de las mujeres más hermosas que he conocido en mi vida. Nadie hubiera adivinado que ella se sentía sin confianza, poco atractiva, no amada, ni inteligente o talentosa, y sin valor. Pero cuando Amanda descubrió quién es en Cristo, qué tiene en Cristo, y dónde está en Cristo, ella pasó por un tratamiento de belleza que cambió su confianza. Ahora irradia el brillo de Cristo. Ahora, cuando Amanda oye alguna crítica destructiva que sólo busca menospreciar sus habilidades o devaluarla como persona, ella recuerda que "¡Dios dice que yo soy elegida, soy amada, soy la sal de la tierra, la luz del mundo, vestida con justicia y equipada con la mente de Cristo! Y él siempre dice la verdad".

Amanda tuvo una transformación de su confianza. ¡Tú puedes tener una también!

El síndrome de la muñeca Barbie

El psicólogo James Dobson afirma que la falta de autoestima es uno de los problemas más grandes de las mujeres de hoy en día, y es fácil saber por qué[1]. No es fácil ser mujer. Todos esperan que seamos una Martha Stewart en la cocina, una Madre Teresa en la comunidad, una Angelina Jolie en el gimnasio, una Oprah Winfrey en la sala de entrevistas, y una Catherine Zeta-Jones en la cama; y todo al mismo tiempo que nos vemos eternamente frescas, en forma y firmes. Los medios pasan tanto tiempo tratando de definir los roles de las mujeres que hemos perdido la perspectiva de Dios en una de sus más increíbles creaciones: la mujer. En esta cultura orientada a la belleza y la juventud, se espera que la mujer se mantenga siempre hermosa, seductoramente delgada y activa sin envejecer toda su vida. Estas expectativas están provocando que las mujeres en todas partes sientan que están muy lejos de esa medida, que no pueden alcanzar eso y que no son las mujeres que la sociedad espera que sean. Conforme los medios intentan empujar a la mujer moderna hacia esa dirección, ella termina sintiéndose desanimada, desalentada y descontenta.

Antes de dar un seminario sobre las expectativas irreales puestas sobre la mujer de hoy, decidí encontrar un icono visual para dejar una impresión duradera en mi público. Fui a una juguetería con la intención de comprar una muñeca Barbie. Yo tengo un hijo ya grande, y hacía mucho tiempo que no pasaba por esos rosados pasillos de la juguetería. Me sorprendí al descubrir que una ya no va a la juguetería

Una confianza firme   83

a comprar *una* muñeca Barbie porque hay cientos de tipos diferentes de muñecas Barbies. Me sorprendió mucho el descubrir todo lo que ha logrado esta pequeña dama en los últimos 25 años o desde la última vez que la vi. Yo conocí a las Barbie cuando eran una simple muñeca con buena figura, ropa de fiesta, un novio guapo llamado Ken, y un auto convertible anaranjado con el interior tapizado en color azul oscuro. Desde entonces, la muñeca Barbie ha recorrido un largo camino, mi amiga, y a continuación te presento algunos de sus logros. Ahora ella es dentista, cirujana, veterinaria, porrista, activista en defensa de los derechos de los animales, jugadora profesional de básquetbol, trabajadora de guardería de infantes, empleada de una tienda, gimnasta olímpica, instructora de aerobismo, piloto de autos de carreras, soldado, sólo por mencionar algunos. Hasta tiene su propia página de Internet. ¡Ay! En el año 2000 recibimos la maravillosa noticia de que la muñeca Barbie iba a iniciar su candidatura a la presidencia cuando la "Presidenta Barbie" hizo su debut. Me siento muy por debajo de la norma sólo de pensarlo.

Esta muñeca ha podido ver realizados logros formidables y, al mismo tiempo, seguir viéndose encantadora, hermosa y sensual. Si pudiéramos hacer a la muñeca Barbie al tamaño humano, sus medidas serían 90-60-90 y mediría 1,80 m de estatura. A lo mejor no me muevo en los círculos correctos, pero no conozco a nadie que se ajuste a esa descripción. La única falla que puedo encontrar en la muñeca Barbie es la leyenda que dice: "Hecha en Japón" estampada en la planta de su perfecto pie. Ahora entendemos por qué la niñas crecen sintiéndose inferiores, inseguras e inadecuadas.

La presión por tener que hacerlo todo y vernos encantadoras al mismo tiempo no termina en el rosado pasillo de la juguetería. Este mensaje también está plasmado en las publicidades de las carteleras altas y bien visibles, o en las revistas impresas; lo lanzan al aire los programas de televisión, lo engrandece la pantalla grande, y hasta se promueve en el patio de recreo en las escuelas primarias.

De recién casada fui a una conferencia sobre cómo ser una "mujer total". La oradora tenía algunas ideas muy interesantes, en especial algunos usos creativos del polietileno que se usa para cubrir alimentos. Pero cuando miré a las mujeres a mi alrededor vi que había más mujeres que se veían como hechas pedazos y no como la "mujer total". Alguien que lea esto tal vez diga: "¡Bueno, lo que esas mujeres necesitan es empezar a ir a la iglesia!". El problema era que nosotras estábamos en la iglesia. La mayoría de las mujeres ya conocían a Jesús como su Salvador, pero la paz, la alegría y el contentamiento que él ofrece eran un sueño distante y no una realidad diaria.

En vez de ser "robles de justicia, plantío del SEÑOR" como lo describe Isaías 61:3, nos vemos más bien como el árbol de Navidad de Carlitos y Snoopy: ralo, débil y que se dobla al tratar de sostener un solo adorno de Navidad. Por supuesto que podemos adornar el árbol y hacerlo verse hermoso por fuera, al igual que Sally, Linus, Snoopy y Pigpen decoraron el pequeño árbol de Carlitos. Pero sabemos perfectamente lo que hay debajo de los brillos, del oropel y de las luces centellantes.

No podemos ir al mercado sin que las revistas colocadas junto a las cajas registradoras le recuerden a una cuán inseguras se sienten las mujeres hoy en día. Los estantes de revistas están invadidos de ellas, y los anaqueles de las librerías están repletos de autores que nos dicen cómo incrementar nuestra confianza y volvernos más agresivas, más seguras y más positivas. Por ejemplo, la revista *Self* presentó un artículo titulado: *Shortcuts to Confidence: Small Skills, Big Rewards* (El atajo hacia la confianza: pocas habilidades, grandes recompensas)[2]. "Básicamente", decía la autora, "para poder sentir confianza necesitamos componer algo". Eso es, componer algo. Ella tenía una bandeja giratoria que estaba rota. Buscó un destornillador, la arregló y se sintió triunfante, competente y con poder. No sé qué piensas tú, pero para mí se va a necesitar mucho más que arreglar una bandeja para poder sentirme confiada.

La revista *Good Housekeeping* (Buenhogar) presentó un artículo llamado: "Las reglas Goldie: consejos para las mujeres sobre cómo tener mayor confianza, ser más amorosas y más amadas según Goldie Hawn"[3]. La revista *Woman's Day* (El día de la mujer) incluyó un artículo llamado: "Aumenta tu confianza: 15 maneras para sentirte muy bien"[4]. La revista *YM* para jóvenes adolescentes publicó un artículo titulado: "Cambio de confianza: 15 maneras de sentirte genial sobre tu persona"[5].

La revista *Salon Ovations* incluyó un artículo titulado "Super-confianza y cómo conseguirla"[6]. La autora anima a sus lectoras a que nunca usen la palabra "fallar". "Las personas superconfiadas simplemente no piensan en fallar; ni siquiera usan esa palabra. En su lugar, usan palabras como desperfecto, equivocación o demora. Las personas superconfiadas se alaban en privado por un trabajo bien hecho. Ellas hablan con firmeza y claridad, y miran directo a los ojos de su jefe cuando le piden un aumento de sueldo de 5.000 dólares"[7]. Ella después aconseja grabar una cinta con frases que contengan "Yo soy" y escucharla por la mañana cuando una se levanta, en el auto al ir al trabajo, de regreso a casa, y hasta antes de irse a dormir. La cinta debe contener frases tales como: "Soy feliz de ser quien soy", "Soy segura", y "Soy parte de una relación perfecta"[8].

Todas estas ideas son como los "clavos baratos" que te mencioné en el capítulo 1. Si decidimos implementar este tipo de ideas para edificar nuestra confianza, probablemente vamos a desmoronarnos cuando lleguen los fuertes vientos de la adversidad. Creo que la única forma de tener confianza verdadera es saber que tú eres amada profundamente, aceptada incondicionalmente, y completamente agradable para Dios.

El monstruo de las tres cabezas

Yo percibo tres emociones que bloquean a las mujeres impidién-doles ser todo aquello que Dios quiere que sean y lograr todo lo que

Dios quiere que logren: inferioridad, inseguridad e inadecuación. He escuchado a mujeres hacer comentarios como estos: "No puedo hacer eso". "Desearía ser tan talentosa como Sara". "Si la gente me conociera en verdad, no les agradaría". "No soy muy inteligente". "Me siento como un fracaso". "No puedo hacer nada bien". "Yo no podría pararme en frente de nadie y hablar". "No calzo en ningún lugar". "Nadie me ama".

¿De dónde vienen esos sentimientos? Desde el momento en que nacemos empezamos a recibir mensajes sobre nuestra persona. Esos mensajes se quedan programados en nuestra mente de la misma forma que se programan las palabras en una computadora. Tal vez no nos damos cuenta de que nuestra mente está siendo programada, pero sucede, y estoy tan segura de eso como que en este momento estoy escribiendo estas palabras. Una de dos: o nos sentimos como hijas apreciadas, animadas y abrazadas, o nos sentimos desanimadas, devaluadas y no amadas. Los mensajes han sido enviados intencional o inintencionalmente por nuestra familia, amigos, maestros u otras personas importantes que han sido parte de nuestro pequeño mundo. Fueron programados en nuestra mente y formaron un tipo de colador o sistema de filtros. Cada pensamiento que tenemos, cada pedazo de información que recibimos debe pasar a través de ese filtro antes de ser procesado por nuestra mente. Un filtro falso distorsiona la verdad.

Por ejemplo, a la pequeña Mari le dijeron de niña que era estúpida, fea y torpe; que sus orejas parecían alas; que sus dientes parecían un montón de autos de chatarra apilados unos sobre otros, y que tenía piernas como de flamenco. Cuando estaba en cuarto grado de primaria le pusieron unos lentes como de fondo de botella, y los niños la llamaban "cuatro ojos" cuando los maestros no estaban presentes. Un día, en la clase de geografía, todo el salón explotó en carcajadas cuando ella contestó incorrectamente que Filadelfia era la capital de los Estados Unidos.

Siete años después, en su penúltimo año de secundaria, la cabeza de Mari creció hasta quedar proporcional a sus orejas, el ortodoncista

hizo un trabajo espectacular al darle una sonrisa con dientes perfectamente alineados, y sus lentes de contacto de color azul acentúan el
matiz aguamarina de sus ojos. Fue aceptada en la Sociedad de Honor
Nacional y logró una calificación excelente en los exámenes de rendi-
miento. Aún así, Mari entra a un salón lleno de gente y se siente como
la niña diferente de cuarto grado con orejas grandes, piernas delgadas
y lentes gruesos de quien se rieron en clase de geografía. A pesar de
que es una jovencita hermosa e inteligente, aquel filtro negativo y
degradante sigue en su lugar, y la decepción es el pegamento que lo
mantiene ahí. Ella no ve quién es en realidad.

Imaginemos que Mari va a un retiro de la iglesia y que escucha las
buenas nuevas de Jesucristo por primera vez. Supongamos que ella
hace una declaración de fe, acepta a Jesús como su Salvador y empieza
a hacerlo su Señor en todos los aspectos de su vida. ¿Qué pasa con el
filtro que lleva cimentado en la mente? ¿Desaparece en cuanto acepta
a Jesucristo? No, no es así. De hecho, es posible que ella misma no
sepa que ese filtro está ahí. A pesar de que Mari es una hija de Dios,
santa y muy amada, a menos que ella se quite el filtro negativo al
renovar su mente, es muy posible que siga sintiéndose inferior, insegura e inadecuada. Sólo que ahora, también va a agregar la culpabili-
dad de no sentirse victoriosa y en paz por su nueva fe cristiana.

Cuando Mari aceptó a Cristo recibió un tratamiento de belleza
espiritual. El problema es que no lo sabía. Esto me recuerda una historia de dos niños que discutían sobre si una gallina que corría sin
cabeza por toda la granja estaba viva o muerta. Mientras observaban
este extraño fenómeno se acercó un viejo y sabio granjero.

—Señor —preguntaron los niños—, esa gallina sin cabeza que
está corriendo ¿está viva o muerta?

El granjero se rascó la barbilla y meditó la situación. Finalmente
dijo:

—Bueno, lo que puedo concluir es que esa gallina está muerta,
pero aún no lo sabe.

Eso describe a muchos cristianos. Me describió a mí por quince años de mi vida hasta que fui una cristiana que nació de nuevo. Mi viejo yo había muerto, pero yo aún no lo sabía. Yo tenía el Espíritu de Jesucristo viviendo en mí y a través de mí, pero yo aún no lo sabía. Yo era una de sus santos, la sal de la tierra, santa y muy amada, pero simplemente aún no lo sabía.

Una nueva identidad

Pablo dijo: "De modo que si alguno está en Cristo, nueva criatura es, las cosas viejas pasaron; he aquí todas son hechas nuevas" (2 Corintios 5:17). En el momento de la salvación, nuestra vida *zoe* es restaurada y nuestro espíritu muerto vuelve a la vida en Cristo. Ahora tenemos que cambiar nuestra propia percepción y empezar a vernos como Dios nos ve. Necesitamos renovar nuestra mente y vivir en la confianza de nuestra nueva identidad como hijas de Dios.

La Biblia dice: "No os acordéis de las cosas pasadas; ni consideréis las cosas antiguas. He aquí que yo hago una cosa nueva; pronto surgirá. ¿No la conoceréis? Otra vez os haré un camino en el desierto, y ríos en el sequedal (Isaías 43:18, 19). Tal vez tu vida antes de Cristo era como un erial en el desierto, pero Jesús trae ríos de agua viva para reanimar nuestras venas débiles.

Cuando aceptamos a Jesucristo, cada uno de esos versículos que describen nuestra nueva identidad mencionados en el capítulo 3 son verdad. Así que, ¿cómo empezamos a actuar como si creyéramos en la verdad? ¿Cómo transformamos nuestra mente y cómo cambiamos esos sentimientos de inferioridad, inseguridad e inadecuación en sentimientos de confianza, capacidad y entereza? ¿Cómo cambiamos el filtro del engaño y lo reemplazamos por el de la verdad?

Juan 8:31, 32 tiene la llave para abrir las puertas de la prisión que mantiene a tantos cautivos de sentimientos de inferioridad, inseguridad e inadecuación. "Si vosotros permanecéis en mi palabra, verdaderamente sois mis discípulos; y conoceréis la verdad, y la verdad os hará libres" (LBLA). Permanecer no significa solamente leer la Biblia para informarnos como si fuera un libro de texto. Muchos estudiosos de la Biblia han leído la Biblia por años pero no tienen una relación personal con Jesucristo ni tampoco han observado el poder regenerativo y restaurador del Espíritu Santo. "Permanecer" significa continuar en algo, mantenerse en algo, vivir en algo, estar en algo, aguardar en algo, procurar algo para experimentarlo⁹. Cuando permanecemos en la palabra de Dios, el viejo filtro destructivo, degradante y de engaño será eliminado parte por parte, hilo a hilo, y nuestra mente será renovada. Cuando empecemos a vernos como Dios nos ve, experimentaremos una confianza indestructible en Cristo.

Como ya lo mencioné antes, muchas personas están tratando de ser lo que ya son en Cristo. Aunque, de hecho, nuestro espíritu se vivifica y nuestra nueva identidad está completamente en efecto en el momento que aceptamos a Cristo, la Biblia dice claramente que nosotras formamos parte del proceso del tratamiento de belleza total: "De modo que, amados míos, así como habéis obedecido siempre —no sólo cuando yo estaba presente, sino mucho más ahora en mi ausencia—, ocupaos en vuestra salvación con temor y temblor; porque Dios es el que produce en vosotros tanto el querer como el hacer, para cumplir su buena voluntad" (Filipenses 2:12, 13). La palabra "ocupaos" significa ejercitar nuestra fe y lo que sabemos que es verdad. Pablo continúa con esta idea: "Hermanos, yo mismo no pretendo haberlo ya alcanzado. Pero una cosa hago: olvidando lo que queda atrás y extendiéndome a lo que está por delante, prosigo a la meta hacia el premio del supremo llamamiento de Dios en Cristo Jesús" (Filipenses 3:13, 14). Nota las palabras "extendiéndome" y "prosigo". Es Dios quien nos transforma, pero en su soberanía él nos invita a participar del proceso a través de decisiones diarias de obediencia y fe.

¿Recuerdas aquel artículo de la revista *Salon Ovations* sobre la cinta y las frases "Yo soy", y el consejo de escucharlas por la mañana cuando te levantas, en el auto al ir al trabajo, de regreso a tu casa, y hasta antes de irte a dormir? Las frases "Yo soy" eran un poco tontas, pero el método tiene su mérito. Esa idea la encontramos en el Antiguo Testamento como un método para enseñar a los niños las leyes de Dios: "Estas palabras que yo te mando estarán en tu corazón. Las repetirás a tus hijos y hablaras de ellas sentado en casa o andando por el camino, cuando te acuestes y cuando te levantes, Las atarás a tu mano como señal, y estarán como recordatorio entre tus ojos. Las escribirás en los postes de tu casa y en las puertas de tus ciudades" (Deuteronomio 6:6-9).

Yo sugiero que hagas una lista de tu nueva identidad en Cristo y que la leas a menudo. Quizás no quieras colgarla en la puerta de tu casa o pegártela en la frente, pero puedes ponerla en el espejo de tu baño, en la puerta del refrigerador, o en el tablero del auto.

Los psicólogos están de acuerdo en que tenemos la tendencia a actuar según la percepción que tengamos de nuestra persona. Si tú te ves como un fracasada, es muy posible que vayas por la vida esperando fracasar. Si te ves como una pecadora, vas a ir por la vida con la expectativa de seguir pecando porque así eres. Si tú te ves como una santa, elegida y amada por Dios, entonces empezarás a caminar con confianza. Proverbios 23:7 dice: "pues como piensa dentro de sí, así es" (La Biblia de las Américas). "Nadie puede comportarse consistentemente en una manera que sea inconsistente con la forma en que él se perciba a sí mismo"[10].

Una noche, un niño subió las escaleras corriendo y se metió en su cama. Unos minutos después, su madre escuchó un golpe fuerte en el suelo. Ella subió corriendo y se apresuró hacia la habitación de su hijo. Al verlo en el suelo, le preguntó:

—Hijo, ¿qué pasó?

—No lo sé —contestó él—. Creo que me quedé muy cerca de donde me metí.

Me temo que muchas mujeres "se han quedado muy cerca de donde se metieron". Muchas han pasado al frente en un culto de la iglesia, han firmado una tarjeta de compromiso en alguna campaña de evangelización, o han aceptado a Cristo en la quietud de su propia casa, pero nunca continuaron madurando espiritualmente. Viven como si fueran la misma persona insegura que eran antes de nacer de nuevo y de haber recibido el poder del Espíritu Santo.

Viviendo por debajo de la norma

Pablo nos dice: "Porque somos hechura de Dios, creados en Cristo Jesús para hacer las buenas obras que Dios preparó de antemano para que anduviésemos en ellas" (Efesios 2:10). Sin embargo, muchas de nosotras no tenemos la *confianza* para hacer lo que Dios ha planeado para nosotras. Mefiboset era un hombre así. Era nieto del rey Saúl e hijo del príncipe Jonatán, pero vivía como un indigente. Cuando era niño, se le había caído a su niñera mientras huían de sus enemigos. Como consecuencia quedó lisiado de ambos pies (2 Samuel 9).

Cuando David subió al trono como rey de Israel, quiso averiguar si había alguien de la casa de Jonatán por quien él pudiera hacer algo. Jonatán había sido el mejor amigo de David, y éste lo quería como a un hermano. Un sirviente le habló sobre el inválido Mefiboset, así que lo mandaron llamar de inmediato. Mefiboset vivía en un lugar llamado *Lo Debar* (que significa tierra sin pasturas).

Mefiboset era el nieto de un rey, sin embargo estaba viviendo en una tierra sin pasturas como indigente. Cuando se presentó ante el rey David, le dijo: "¿Quién es tu siervo, para que mires a un perro muerto como yo?" (versículo 8).

David ni siquiera le respondió. Simplemente ordenó a sus sirvientes que le entregaran a Mefiboset toda la tierra que había sido de Saúl y que le hicieran comer en la mesa del rey todos los días.

Es posible que tú estés rondando por la vida, inválida o tullida por algo que te sucedió cuando niña. Tal vez te sientas como "perro muerto". Y aún así, Dios está buscando maneras para bendecirte e invitarte a comer en su mesa todos los días. Mefiboset era el nieto del rey Saúl y potencial heredero al trono. Sin embargo, él se veía como nada más que un "perro muerto", sin valor suficiente ni para recibir la más mínima migaja de amabilidad de David. El deseo de David era el de entregar a Mefiboset toda la tierra que hubiera sido su herencia e invitarlo a deleitarse en su mesa todos los días. Mefiboset no se veía a sí mismo como en realidad era. De hecho, él era parte de la realeza.

¿Un perro muerto? No lo creo.

El monstruo de las tres cabezas asoma su cabeza fea

El monstruo de las tres cabezas de inferioridad, inseguridad e inadecuación, puede paralizar a cualquier cristiana, hacerla inactiva y dejarla sentada en la banca durante el partido de la vida… temerosa de entrar al partido. El deseo de Dios es destruir al monstruo mediante la verdad y dejarlo impotente en nuestra vida. El deseo de Satanás es alimentarlo con mentiras y entrenarlo para que controle nuestra vida. ¿A quién le vamos a creer?

El creer quiénes somos en Cristo destruye los sentimientos de inferioridad. El creer dónde estamos en Cristo destruye los sentimientos de inseguridad. El creer qué tenemos en Cristo destruye los sentimientos de inadecuación. ¡Qué transformación cuando una cristiana cree en la verdad! ¡Ella entonces vive un tratamiento de belleza que cambia su confianza!

No quiero que pienses que siempre salgo victoriosa y que nunca lucho con el monstruo de las tres cabezas. Él sigue tratando de levantar su fea cabeza de vez en cuando. Déjame darte un ejemplo.

Era la primera vez que iba a hablar frente a un grupo muy grande: 450 mujeres. Mi tema era: "Confianza firme en Cristo". Dos semanas antes del evento asistí a una comida. Dos señoras, a quienes yo no conocía, se sentaron en mi mesa y estaban hablando de un orador que se había presentado recientemente en la iglesia donde yo iba a hablar unas semanas después.

—Fue el conferencista más poderoso que yo jamás haya escuchado —dijo una de ellas.

—Yo lloré todo el tiempo mientras él daba su testimonio. Sólo piénsalo: él tuvo que vivir sabiendo que su hijo era un pirómano. ¡Es maravilloso cómo Dios ha obrado en la familia! El pastor estuvo tan conmovido que le pidió que también hablara el domingo en el culto de la noche. Eso es poco común. No creo que volvamos a tener un conferencista tan bueno como él.

Una y otra vez, ellas seguían alabando a este hombre de Dios. Usaron palabras como "dinámico", "poderoso", "electrizante" y "elocuente". No les mencioné que yo era la oradora para la siguiente reunión. En ese momento, no estaba muy segura de si lo sería o no.

Mientras escuchaba hablar a esas señoras, se me cerró la garganta, el emparedado se me quedó pegado en la boca, y mi corazón latía a mil por hora. Entonces Satanás, el guardián de la puerta del monstruo de tres cabezas, lo dejó salir.

"¿Quién te crees que eres yendo a hablar a este evento? Escucha el calibre de la gente que traen. Este hombre vino del otro lado del país y tú sólo vienes del otro lado de la ciudad. ¿Qué podrías decir tú para ayudar a estas mujeres? Si yo fuera tú, cancelaría antes de avergonzarme frente a toda esa gente".

¿Sabes qué? Aunque sabía que era el enemigo susurrándome al oído, empecé a creerle. Después de todo, lo que estaba diciéndome tenía más sentido que las frases "Yo soy" que tenía pegadas en mi refrigerador.

Después de la comida, decidí ir a la iglesia a comprar la cinta con la grabación de aquel orador sólo para ver con lo que yo iba a ser comparada. Entré a la iglesia, pagué mis $5 dólares, puse la cinta en el tocacintas y me preparé para la hora del poder.

Nada sucedió.

Adelanté la cinta.

Nada pasó.

Le di la vuelta a la cinta.

Nada sucedió. La cinta estaba en blanco.

En ese momento, no escuché al dinámico orador en la cinta. Escuché a Dios.

Sharon, tú no necesitas escuchar lo que mi siervo le dijo a esas personas hace dos semanas. La cinta está en blanco porque no quiero que te compares con nadie. No importa lo que él haya dicho. Yo te daré un mensaje para esas mujeres. Yo puedo hablar a través de un profeta, puedo hablar a través de un pescador y hasta puedo hablar a través de un burro.

A él le di un mensaje y a ti también te he dado uno. ¿Para quién estás haciendo esto, mi hija, para ellos o para mí? No te compares con nadie. Tú eres mi hija, y yo te estoy pidiendo que hables ante una audiencia de Uno.

En verdad fue una hora de poder. Ni siquiera me tomé la molestia de ir a pedir que me devolvieran el dinero por la cinta defectuosa. Eso era exactamente lo que necesitaba oír.

Así que la próxima vez que Satanás me dijo: "¿Quién te crees que eres?", déjame decirte lo que le contesté: "Yo soy la luz del mundo. Yo soy la sal de la tierra. Yo soy hija de Dios. Yo soy la novia de Cristo. Yo soy coheredera con Cristo. Yo tengo el poder del Espíritu Santo. Yo he sido rescatada del reino de la oscuridad y llevada al reino de Cristo. Yo soy elegida de Dios, santa y amada".

Dos semanas después hablé con seguridad, y Dios nos bendijo a todas.

No es tarea fácil matar al monstruo de las tres cabezas de inferioridad, inseguridad e inadecuación. Todo comienza con el entendimiento de la verdad sobre quién eres en Cristo, sobre qué tienes en Cristo, y sobre dónde te encuentras en Cristo. ¿Es eso difícil de creer? Bueno, tal vez entonces tú necesitas un estiramiento de fe. Sigue leyendo.

Un estiramiento de fe
Cree y confía en Dios

Ella era parte de un grupo ansioso de niños de cuatro años amontonados a mis pies mientras yo les enseñaba la clase de su Escuela Dominical. Yo era la maestra y ellos eran los alumnos, o por lo menos así empezamos. Mi audiencia escuchaba atentamente mientras yo les describía el momento cuando Jesús y sus discípulos quedaron atrapados en una tormenta a la mitad del mar de Galilea.

—El viento soplaaaaba y sacudía el pequeño barco de un lado al otro. Las olas eran taaaan grandes que salpicaban por todos lados y los hombres estaban todos mojados. Entonces el barco empezó a llenarse con agua y, ¿saben qué pasa cuando un barco empieza a llenarse con agua?

—Se hunde —los niños gritaron al unísono.

—Es cierto —contesté con las cejas fruncidas y cara de preocupación—. Y eso no fue todo, los relámpagos eran taaaan brillantes que parecían como fuego en el cielo, y los truenos eran taaaan ruidosos que los sentían vibrar en su pecho.

Después de hacerlos imaginar esa escena de inminente fatalidad y creyendo que mi público estaba tal vez un poco preocupado por la suerte de esos hombres atrapados por la tormenta, les pregunté:

—Si *ustedes* estuvieran en un barco pequeño como ese, atrapados en una terrible tormenta como esa, ¿tendrían miedo?

Entonces una preciosa niña, confiada y segura ante tal escenario, encogió los hombros y me contestó:

—No si Jesús estuviera en el bote conmigo.

Nunca olvidaré esa respuesta. Sus palabras han hecho eco en mi mente y me he dado cuenta de que esta es la respuesta que tranquiliza todas nuestras preocupaciones y miedos. Al igual que los discípulos, que tenían una tormenta furiosa a su alrededor, así también nosotras estamos rodeadas por las furiosas tormentas de la vida. A una amiga le descubren que tiene cáncer, el esposo de otra amiga pierde su trabajo, un niño nace con defectos. Estas son tormentas con olas de emociones tan altas que el barco de nuestra vida se llena con lágrimas y pareciera que se va a hundir en cualquier momento. Las olas del miedo balancean nuestro barco y amenazan con lanzarnos a las profundidades de la desesperación sin un salvavidas que nos mantenga a flote. Las tormentas nos hacen dudar de quiénes somos, de qué tenemos, y de dónde estamos como hijas de Dios. Las olas de emociones sacuden nuestra fe.

—Dime, ¿tendrías miedo?

—No si Jesús estuviera en el barco conmigo.

¿Y adivina qué? Él está ahí. Dios dijo: "Nunca te abandonaré ni jamás te desampararé" (Hebreos 13:5), y Jesús dijo: "Y he aquí, yo estoy con vosotros todos los días, hasta el fin del mundo" (Mateo 28:20). Aunque el dolor sea grande, no tenemos por qué tener miedo de que las tormentas de la vida nos vayan a destruir, porque Jesús está en el bote con nosotras. Su poder puede calmar los mares y hasta las tormentas de la vida que amenazan con hundirnos.

Después de que los niños salieron de uno en uno y se fueron a comer a distintos puntos de la ciudad, me quedé sentada en el salón para digerir las palabras de la verdadera maestra de ese día. Era una fe de niño en su forma más pura. La pequeña creía en Dios.

Título de propiedad

Hebreos 11:1 nos da una definición maravillosa de la fe: "La fe es la constancia de las cosas que se esperan, la comprobación de los hechos que no se ven". "Esa confianza en Dios es la que les permite a los creyentes a avanzar resueltamente en lo que sea que el futuro les guarde. Ellos saben que pueden depender de Dios"[1]. Es la "avenida por la cual Dios invade nuestras vidas"[2].

En griego, el lenguaje original del Nuevo Testamento, la palabra fe es *pistis*, que significa certidumbre, creencia, creer, fe, fidelidad. Por eso, cuando decimos que creemos en Dios, estamos diciendo que tenemos fe en Dios.

En otra traducción de la Biblia, Hebreos 11:1 dice: "Es, pues, la fe la certeza [la confirmación, el título por escrito] de lo que se espera [nosotros], la convicción de lo que no se ve [nosotros]" (Reina-Valera 1960).

Me encanta la idea de tener un "título de propiedad". Eso quiere decir que cuando venga Satanás a husmear y a acusarnos de ser *menos que* lo que Dios ha declarado, le mostramos nuestro título de propiedad —la Palabra de Dios— para probarle que es un mentiroso. Hemos sido comprados por un precio y sellados con el sello oficial: el Espíritu Santo (Efesios 1:13).

Al construir nuestra casa, fuimos bendecidos con un jardín muy grande en el fondo para poder tener un área de juegos, un jardín de flores a la sombra, y un lindo balcón. El límite de la propiedad de nuestro vecino estaba como a unos 46 metros de nuestra puerta trasera. No teníamos un cerco a lo largo del límite de nuestra propiedad... no pensamos que lo necesitaríamos.

La familia Smith (no es su apellido real) había vivido en esa casa vecina por más de catorce años antes de que nosotros no mudáramos. Por mucho tiempo, la señora Smith había limpiado y utilizado una tercera parte de nuestro terreno como si fuera de su propiedad. Plantó un cantero de hiedra muy bonito, colgó macetas de flores de las ramas de los árboles, y hasta tenía un lugar para sentarse debajo de un roble muy grande. Cuando nosotros compramos la propiedad, la señora Smith se enfureció porque estábamos "traspasando" los límites de su anexo. Pero en realidad, esa tierra no era de ella. Los agrimensores delimitaron los límites de la propiedad antes de que nosotros compráramos el terreno y, a pesar de que nuestro límite posterior pasaba por la mitad de la entrada para coches de su casa, nosotros no insistimos en que lo movieran.

Pero en los siguientes cinco años, la línea divisoria se hizo un tanto borrosa para la señora Smith. Poco a poco empezó a invadir más y más nuestro jardín, y actuaba como si en verdad fuera suyo. Al principio recortó los arbustos del límite trasero, después cortó y entresacó la hiedra que estaba unos 3 metros dentro de nuestro jardín. Pero cuando la vimos en una escalera cortando las ramas de nuestros árboles, decidimos que eso tenía que acabarse.

—Señora Smith —le dijo Steve—, ¿qué está haciendo?

—Estoy podando los árboles —contestó ella.

—Nosotros no queremos que pode nuestros árboles —le dijo Steve.

—Pero es que necesitan un retoque.

Entonces fue cuando la presa reventó dando rienda suelta al enojo que había sido contenido por más de cinco años.

—¡Ustedes no plantaron la hiedra! ¡Ustedes no plantaron esos arbustos! ¡Ni tampoco plantaron estos árboles! —gritaba ella—. Yo los planté y puedo cortarlos si así lo quiero.

—No, no puede —le contestó Steve calmadamente—. Este no es su jardín. Usted no puede venir aquí y actuar de esta manera.

—Ustedes son unos egoístas —siguió gritando ella—. ¿Acaso no dicen "ama a tu prójimo como a ti mismo"? (Ella no iba a la iglesia, pero se sabía este versículo de memoria).

Honestamente, Steve y yo estábamos ya hartos después de siete años de batalla que continuaba escalando. Al final hicimos lo que debíamos haber hecho desde el principio: poner un cerco.

En la mente de la señora Smith, ella no aceptaba el hecho de que la propiedad no era suya. Ella la había usado por mucho tiempo y hasta contrató a un abogado para tratar de reclamar derechos de antigüedad así como en el Viejo Oeste. Pero la tierra no era de ella... nunca lo había sido. De hecho, ella estaba quebrantando la ley.

¿Por qué te cuento esta historia? Porque hay alguien a quien le gustaría entrar en tu territorio y pretender que es de él. Antes de que conocieras a Jesucristo, Satanás te usaba y pretendía que le pertenecías. Él plantó pensamientos en tu mente, actos pecaminosos en tu voluntad, e inseguridad en tus emociones. Pero Dios vino y te eligió para que fueras su posesión más preciada, su propiedad personal. Él pagó un precio muy alto por ti... su único Hijo. Y honestamente, Satanás no estuvo ni está muy contento por eso. De hecho, está furioso.

Satanás sabe dónde está la línea divisoria de tu corazón. Pero, al igual que la señora Smith, él tratará de meterse en tu jardín nuevamente. Él planta un pequeño pensamiento por aquí, una pequeña tentación por allá, y luego lo encuentras ¡subido en una escalera retocando tus árboles! Bueno, tal vez no tus árboles, pero sí diferentes áreas de crecimiento en tu vida y echando a perder cualquier cosa que pueda alcanzar. Él hasta puede que te lance unos cuantos versículos de la Biblia sacados de contexto.

Entonces, ¿qué debes hacer cuando ves al enemigo trepando de nuevo al territorio que tú ya conquistaste y compraste? ¿Qué puedes hacer si él intenta reclamar derechos de antigüedad? La respuesta es: le muestras el título de propiedad.

"Aquí tienes, Satanás", le gritas. "¡Aquí dice en la Palabra de Dios que yo he sido comprada por un precio! ¡Ya no soy de tu propiedad! ¡Soy de Dios! No tienes ningún derecho de venir a desordenar mi jardín o mi vida. ¡Sal de aquí en este preciso momento! ¿Ves este cerco? Es para que te mantengas fuera de aquí. La Biblia dice que mis linderos me han tocado en lugar placentero (Salmo 16:6), y ellos no te incluyen en mi territorio. ¡Jesús es el dueño del título de propiedad de mi corazón y tú no tienes derecho alguno para meterte conmigo! ¿Entendiste eso? ¡Sal de aquí en el nombre de Jesús!".

Con el tiempo, la vecina intratable se mudó y desde entonces hemos disfrutado de una convivencia pacífica con los nuevos vecinos.

La certeza de las cosas que no se ven

Otro aspecto de la fe es que conecta el reino de lo visible con el reino de lo invisible, es decir, lo que podemos ver y lo que no podemos ver. En 2 Reyes 6:15-17, el criado de Eliseo se despertó una mañana aterrorizado porque estaban rodeados por espíritus enemigos montados a caballo. Eliseo le pidió a Dios que tranquilizara al criado al permitirle ver el reino espiritual invisible.

—¡Ay, señor mío! ¿Qué haremos?
Él le respondió:
—No tengas miedo, porque más son los que están con nosotros que los que están con ellos.
Entonces Eliseo oró diciendo:
—Te ruego, oh SEÑOR, que abras sus ojos para que vea.
El SEÑOR abrió los ojos del criado, y éste miró; y he aquí que el monte estaba lleno de gente de a caballo y carros de fuego, alrededor de Eliseo.

Eliseo y su criado vieron el ejército de Dios que los rodeaba y estaba listo para luchar por ellos. Tal vez el Señor nunca nos dé la oportunidad de quitarnos, en el sentido físico, el velo que separa lo visible de lo invisible. Sin embargo, todo aquello que nuestros ojos no pueden ver, es muy real. "No fijando nosotros la vista en las cosas que se ven, sino en las que no se ven; porque las que se ven son temporales, mientras que las que no se ven son eternas" (2 Corintios 4:18). Lo que no se ve, lo espiritual, es la realidad más grande.

La fe no está basada en la ignorancia, más bien en lo que sabemos acerca de Dios. Significa creerle a Dios, aunque nuestros ojos y nuestras emociones nos digan lo contrario.

No todas nuestras preguntas van a tener respuesta de este lado del cielo pero, si fortalecemos nuestra fe al creer y actuar sobre la base de lo poco que sabemos, vamos a mover montañas, derrotar gigantes, y ser mujeres bellas y fuertes.

Fe en quién es Dios

La base de nuestra fe es una comprensión clara de quién es Dios. Esto no está basado en lo que él hace, ya que no podemos entender sus maneras y muchas veces interpretamos sus acciones erróneamente. Si nuestra fe está basada únicamente en las obras de Dios que nuestros ojos pueden ver, entonces nuestro camino va a ser una montaña rusa espiritual con subidas y bajadas, giros y vueltas, y altos y bajos. Nosotros no podemos comprender la mente de Dios o su manera de hacer las cosas. Él dice: "Como son más altos los cielos que la tierra, así mis caminos son más altos que vuestros caminos, y mis pensamientos más altos que vuestros pensamientos" (Isaías 55:9). La fe es creer que el Padre sabe más, pase lo que pase.

Tres jóvenes que tenían fe en Dios, basándose en quién era Dios y no en lo que él podía hacer, se llamaban Sadrac, Mesac y Abed-nego. Eran administradores judíos que servían durante el reinado del rey Nabucodonosor. Cuando ellos se negaron a postrarse y adorar a los ídolos del rey sino que, en su lugar, decidieron honrar al Dios verdadero y único, el rey amenazó con lanzarlos a un horno en llamas. Ellos le contestaron:

—Oh Nabucodonosor, no necesitamos nosotros responderte sobre esto. Si es así, nuestro Dios, a quien rendimos culto, puede librarnos del horno de fuego ardiendo; y de tu mano, oh rey, nos librará. Y si no, que sea de tu conocimiento, oh rey, que no hemos de rendir culto a tu dios ni tampoco hemos de dar homenaje a la estatua que has levantado (Daniel 3:16-18).

Los jóvenes sabían que Dios los rescataría, pero si él decidía lo contrario, ellos entendían que él tenía un propósito más allá de lo que sus ojos podían ver. De hecho, ¿quieres saber cómo termina la historia? El rey hizo que ataran con cuerdas a Sadrac, Mesac y Abed-nego y que los lanzaran dentro del horno. Después, él los vio danzando en el fuego con un cuarto hombre semejante a un "hijo de los dioses" (versículo 25). Personalmente, creo que era Jesús el que se apareció. El rey se calló y liberó a los tres jóvenes que no tenían ni una pizca de olor a humo. Jesús no sólo está en el bote con nosotras, también está en el fuego junto a nosotras.

El objeto de nuestra fe

Un día estaba hablando por teléfono con una amiga mía. Su hija de cuatro años, Esperanza, quien se suponía debía estar durmiendo la siesta, entró a la habitación.

—¿Qué haces fuera de la cama, señorita? —le preguntó Lisa.

—Es mi hora de oración —respondió la niña con actitud de suficiencia.

Esperanza se acomodó en el sofá con su "Biblia": un catálogo de la tienda Sears.

Lamentablemente, muchas ven a Dios como alguien en el cielo que reparte cosas, y el tiempo de oración es una oportunidad para hacer el pedido. Sin embargo, él es mucho más que eso.

A. W. Tozer escribió: "Nada tuerce ni deforma el alma tanto como un concepto bajo de Dios"[3]. Nuestro concepto de Dios, nuestra comprensión de quién es él y de lo que hace, es de vital importancia. Las ideas incorrectas y no bíblicas acerca de Dios pueden bloquear su poder en nuestra vida.

En el Antiguo Testamento, Dios tiene muchos nombres que describen su carácter: él es Elohim: el creador; El Elyon: Dios altísimo; El Roi: el Dios que ve; El Shaddai: el todo suficiente; Adonai: el Señor; Jehová: el que existe por sí mismo; Jehová-Jireh: el Señor proveerá; Jehová-Rapha: el Señor que sana. Cuando alguien en el Antiguo Testamento se encontraba con Dios y aprendía algo nuevo acerca de su carácter, esa persona por lo general le daba un nombre nuevo a Dios. De la misma forma, cuando tenemos un encuentro con Dios en nuestra rutina diaria, aprenderemos aspectos nuevos y emocionantes de su carácter. Sin embargo, nuestra percepción de Dios nunca debe estar basada en nuestra propia experiencia. Dios nos dio la Biblia para revelarnos su naturaleza. Mediante tal revelación, Dios libera su poder en nuestra vida; un poder que renueva nuestra mente y, por ende, afecta nuestras acciones y emociones.

De todos los nombres de Dios mencionados en la Biblia, el más poderoso es: Yo soy. Moisés le preguntó a Dios:

—Supongamos que yo voy a los hijos de Israel y les digo: "El Dios de vuestros padres me ha enviado a vosotros". Si ellos me preguntan: "¿Cuál es su nombre?", ¿qué les responderé?

Dios dijo a Moisés:

—YO SOY EL QUE SOY. —Y añadió—: Así dirás a los hijos de Israel: "YO SOY me ha enviado a vosotros" (Éxodo 3:13, 14).

Ese nombre es muy poderoso, tanto que cuando Jesús respondió las preguntas de los soldados romanos que iban a arrestarlo con esa misma respuesta ellos ¡cayeron de espaldas! (Juan 18:5, 6) Lo que sea que necesitas querida amiga, Dios lo es.

Oswald Chambers dijo una vez: "Nosotros actuamos como paganos cuando estamos en una crisis; sólo uno de entre una multitud tiene el valor suficiente para poner su fe en el carácter de Dios"[4].

Hace algunos años una amiga me envió la cinta con el sermón de Shadrach Meshach Lockridge. Con el poder del Espíritu Santo manando de sus poros, el hermano Shadrach empezó de repente a proclamar diferentes nombres de Dios. Después de aquel sermón lleno de poder, otras personas han tomado partes de su lista y las han incorporado en libros, sermones y arreglos musicales. A continuación presento un arreglo del sermón del hermano Shadrach que enfatiza que, sobre todas las cosas, podemos confiar en Dios.

Él no tiene igual ni precedente.
Él es la pieza central de la civilización.
Él es el superlativo de toda excelencia.
Él es la suma de toda la grandeza humana.
Él es la fuente de la gracia divina.
Su nombre es el único nombre que puede salvar,
Y su sangre es el único poder capaz de limpiar.

Su oído está abierto para el pecador.
Su mano es rápida para levantar al alma caída.
Él es el eterno amante de todas nosotras, de cada una,
Y tú puedes confiar en él.

Él brinda piedad al alma en lucha.
Él le da apoyo a quien es tentado y puesto a prueba.
Él se conmueve por los heridos y quebrantados.
Él le da fuerza al débil y al cansado.
Él cuida y guía al vagabundo.
Él sana al enfermo y limpia al leproso.
Él libera a los cautivos y defiende a los indefensos,
Y él venda los corazones rotos.
Él es para ti, y tú puedes confiar en él.

Jesús es la llave a todo conocimiento.
Él es la fuente de sabiduría.
Él es la puerta a la salvación y el camino a la paz.

Él es el camino a la justicia.

Él es la avenida a la santidad.

Él es la entrada a la gloria,

Y sí, tú puedes confiar en él.

Jesús es suficiente… Él es el Rey todo suficiente…

Él es el rey de los Judíos.

Él es el rey de Israel.

Él es el rey de la justicia.

Y él es el rey de los tiempos.

Él es el rey de los cielos.

Él es el rey de la Gloria.

Él es el rey de reyes y

Él es el Señor de señores.

Y sí de nuevo, tú puedes confiar en él.

Alégrate en esto amigo mío… él es un rey soberano.

No existe instrumento alguno para medir su amor sin límites.

No hay barrera alguna para bloquear el derramar de sus bendiciones.

Él es fuerte por siempre

Y él es supremo por completo.

Él es constante por la eternidad.

Él es fiel inmortalmente.

Él es poderoso imperialmente y

Él es piadoso imparcialmente.

Él es Jesús —el hijo de Dios— y ¡tú puedes confiar en él!

Desearía poder describírtelo con mayor precisión, pero

Él es indescriptible.

Él es incomprensible.

Él es invencible.

Él es irresistible.

Tú no puedes vivir más tiempo que él y tampoco puedes vivir sin él.

Los fariseos no lo soportaban,

Pero se dieron cuenta de que no lo podían detener.

Pilatos no lo pudo condenar.

Herodes no lo pudo matar.

La muerte no lo pudo conquistar y

¡La tumba no lo pudo retener!

Amigos míos…

Él es el Alfa y el Omega, el primero y el último.

Él es el Dios del futuro y el Dios del pasado.

Nos levantamos para pronunciar su nombre una y otra vez…

Jesús… Jesús.

Él es Jesús… él es por nosotros… ¡y nosotros podemos confiar en él![5].

Aumenta tu fe

Recuerdo cuando estaba en mis clases de embriología y anatomía en la universidad ¡cuán asombrada estaba ante lo intrincado del cuerpo humano! Me intimida imaginar que una microscópica hebra de moléculas llamada ADN determina cada parte física de nuestro cuerpo. De igual forma, es una maravilla que cada músculo que tú y yo tenemos en el cuerpo está presente cuando nacemos (y también cada célula de grasa). Cada trapecio, tríceps, bíceps, cuádriceps y glúteo, desde la cabeza hasta la punta de los pies, todo está presente y contado para cuando damos nuestro primer respiro. Eso quiere decir que tú y Arnold Schwarzenegger vinieron a este mundo con el mismo equipo básico de músculos, pero debido al ejercicio ¡sus músculos crecieron más!

Al igual que un bebé nace con todos los músculos que tendrá por siempre, cuando un creyente nace de nuevo recibe toda la fe que necesitará para el resto de su vida. A cada una de nosotras nos fue dada una medida de fe (Romanos 12:3). Sin embargo, algunas tienen una fe mayor (no necesariamente más fe), porque ellas han ejercitado, estirado y fortalecido lo que les fue dado. Cuando los discípulos no pudieron expulsar un demonio, le preguntaron a Jesús la razón de su fracaso, y él les respondió: "Por causa de vuestra poca fe" (ver Mateo 17:14-20). Eso no se debió a la cantidad de su fe, sino a la calidad; su fe requería mayor ejercicio[6]. Jesús continuó diciendo: "Porque de cierto os digo que si tenéis fe como un grano de mostaza, diréis a este monte: 'Pásate de aquí, allá'; y se pasará. Nada os será imposible" (versículo 20).

De lo único que estoy hablando en este libro, *Belleza extrema*, es de tener suficiente fe para creer cuando Dios dice: "De modo que si alguno está en Cristo, nueva criatura es; las cosas viejas pasaron; he aquí todas son hechas nuevas" (2 Corintios 5:17), y: "Su divino poder nos ha concedido todas las cosas que pertenecen a la vida y a la piedad por medio del conocimiento de aquel que nos llamó por su propia gloria y excelencia" (2 Pedro 1:3). Para algunas de ustedes, tal vez sea más fácil considerar el mover una montaña que esto que acabamos de leer. Para algunas de ustedes, tal vez la montaña que necesitan mover es su propia incredulidad.

Hebreos 11 está lleno de hombres y mujeres de la Biblia que creyeron en Dios. Sin embargo, mi pasaje favorito del Nuevo Testamento que nos lleva a recordar el Antiguo Testamento está en Santiago 5:17, 18: "Elías era un hombre sujeto a pasiones, igual que nosotros, pero oró con insistencia para que no lloviera, y no llovió sobre la tierra durante tres años y seis meses. Y oró de nuevo, y el cielo dio lluvia, y la tierra produjo su fruto". ¿Qué tiene de especial este pasaje? Para mí, no es el hecho de que Elías oró respecto a la lluvia, sino las tres pequeñas palabras: "igual que nosotros". ¡Él era igual que nosotras! Él no tenía más fe, él tenía una fe fuerte.

Conforme renovamos nuestra mente con la Palabra de Dios y después ponemos en práctica lo que hemos aprendido, entonces nuestra fe se fortalecerá. Santiago escribió: "la fe sin obras es estéril" (Santiago 2:20, La Biblia de las Américas). En otras palabras, si sólo en nuestra mente decimos que creemos en algo pero no lo demostramos con nuestras acciones, no nos traerá vida a nosotras ni a aquellos a nuestro alrededor. Si ejercitamos nuestra fe, esta crecerá y se fortalecerá.

A mi hijo le encanta levantar pesas para hacer crecer los músculos. Cuando hace levantamientos por encima de su cabeza y toma una barra que podría destrozarle la cara (¡así lo ve su madre!), tiene a una persona de pie junto a él que llamamos "vigilante". El trabajo del vigilante es atrapar la barra y cuidar de que no le caiga en la cara en caso de que a Steven se le resbalara o eligiera un peso para el cual no está preparado. Cuando ejercitamos nuestra fe, Jesús es ese vigilante. Si somos muy débiles para levantar el peso de una carga pesada, Jesús nos protege de ser aplastados. Si nos encontramos débiles para levantar la carga, no nos damos por vencidos sino que continuamos aplicando presión y ejercitamos esos músculos de fe hasta que se hagan más fuertes.

Ejercita la fe que Dios te dio. Encuentra una promesa de la Biblia, confiésala, créela y hazla tuya. Después elige otra, y luego otra, y luego otra. Muy pronto, esa pequeña semilla de fe hará raíces, se elevará hacia el cielo, le saldrán ramas y producirá una cosecha abundante de fruto. Las promesas de Dios son regalos preciosos que él trae a sus hijos. Al aceptar esos regalos debemos recordar que las promesas en sí no son lo que produce el cambio en nuestra vida, sino el que da la promesa y que la cumple. El libro de Hebreos nos recuerda que

Dios, quien hace las promesas, es fiel (Hebreos 10:23), y es su fidelidad lo que hace que se cumplan esas promesas.

Descansa en la fe

¿Habías notado este patrón en los evangelios: los discípulos se
meten en problemas y Jesús los saca de esos problemas? Eso me
recuerda un programa de televisión de los años cincuenta llamado
"Papá lo sabe todo". Los hijos se metían en problemas, el padre
resolvía el problema, y luego al final, él les enseñaba una importante
lección sobre la vida . Piénsalo, "Papá lo sabe todo" sería un excelente
subtítulo para los evangelios.

En Juan 6:1-15 encontramos a los discípulos en una situación pre-
caria. Su fiesta al aire libre se convirtió en un dolor de cabeza. Los
invitados excedieron por mucho el número que ellos esperaban, los
discípulos no tenían planeado dar nada de comer y, al parecer, la multitud esperaba un refrigerio. Pero los discípulos no tenían los fondos
ni la comida para alimentarlos. Todo lo que pudieron juntar fueron
cinco panes y dos pescados secos. La multitud se empezaba a alboro-
tar, los discípulos se empezaban a cansar, y Jesús se empezaba a
preparar. Él tomó los cinco panes y los dos pescados y le dijo a la multitud que se sentara; les dijo que descansaran.

Entonces levantó la comida hacia el cielo, la bendijo y les ordenó
a los discípulos que distribuyeran las provisiones a los que estaban
sentados. Jesús no les dio de comer a los que andaban de un lado al
otro preocupados, sino a aquellos que estaban descansando. A ellos les
dio mucho más abundantemente de lo que pidieron o pensaron (ver
Efesios 3:20), y hasta sobraron 12 canastas con pan.

Cuando le creamos a Dios, entonces tendremos descanso y paz en
nuestra vida. Quiero que hagas algo. En este momento, quiero que
uses tu imaginación. Imagínate sentada junto a Jesús debajo de un
amplio árbol de cedro. Tal vez su brazo está sobre tu hombro y tu
cabeza descansa sobre su pecho. Puedes sentir el latir de su corazón en

tu mejilla, y tu cabeza se mueve cada vez que él respira. Con su otra mano, él te acaricia la cabeza, y de inmediato sabe cuántos cabellos tienes en la cabeza. Su respiración entibia tu piel al rozar tu rostro. Imagínalo mirándote a los ojos, conociendo todo tu ser, y fijando amorosamente una sonrisa de afirmación que te da la seguridad de su amor y cuidado por ti.

Bueno, dime ahora, después de imaginarte en la presencia de Jesús, ¿te sientes ansiosa? ¿Te sientes rechazada? ¿Estás preocupada por el mañana?

Tal vez estarás pensando: "Sí, Sharon, sentí paz en esa escena. Pero esa no es la realidad". Querida hermana, esa es la mayor de las realidades. Lo que vemos con los ojos es temporal. El reino de lo espiritual, que no podemos ver, es eterno.

Fe en medio de la tormenta

Los momentos más difíciles para continuar creyendo las promesas de Dios son aquellos durante las tormentas de la vida, cuando las olas de emociones son tan grandes que amenazan con voltear tu barco y lanzarte a un océano de desesperación.

Yo he estado ahí, amiga mía. Y también sé que puede ser el momento más difícil para creer en la verdad y el más fácil para creer en las mentiras del enemigo. Permíteme compartir una tormenta de esas que sucedió en mi vida.

Cuando mi esposo Steve y yo decidimos tener hijos, concebimos sin ningún problema. Nuestro hijo Steven Hugo Jaynes nació con una masa de cabello negro y grueso, y largas pestañas como las de Bambi, que hasta las enfermeras las medían para ver si habían roto el récord. Amo la maternidad más que cualquier otro papel que yo haya desempeñado. Nunca imaginé en mi vida que tanto amor pudiera venir envuelto en tan pequeño paquete.

Cuando Steven era aún pequeño, decidimos expandir nuestra familia nuevamente.

"Steven", le explicamos, "estamos orando para que Dios nos dé otro bebé y para que tú puedas tener un hermanito o una hermanita".

Él pensó que era una buena idea, y todas las noches durante nuestro tiempo de oración, él terminaba con una petición: "Y Señor, por favor, dale a mi mami y a mi papi otro bebé. Amén".

Después de seis meses, no había noticias de otro bebé. Yo estaba perpleja. Pasó un año y estaba perturbada. Luego pasaron dos años. Empecé a hundirme en un mar de temor y duda. Durante todo ese tiempo, Steven seguía orando cada noche: "Y Señor, por favor dale a mi mami y a mi papi otro bebé".

Mi esposo y yo empezamos a recorrer el frustrante camino de visitas al doctor, tratamientos de infertilidad, e intimidad programada (lo cual no tiene nada de íntimo). Después empecé a preocuparme por cómo se afectaría la fe de Steven en Dios a causa de esta oración sin respuesta. Obviamente, nuestro Señor no deseaba que nosotros tuviéramos otro hijo en ese momento, y yo no sabía cómo decirle a Steven que no teníamos que orar por eso todas las noches. Yo tenía la esperanza de que se le olvidara, pero a él no se le olvidó, así como tampoco se le olvidaba decir "Amén" al final de su oración.

Entonces empecé a orar: "Señor, por favor muéstrame cómo puedo hacer más fácil esta situación. Muéstrame cómo decirle a Steven que no necesitamos orar por otro bebé todas las noches. No quiero que esta oración que parece no tener respuesta afecte su fe".

Nosotros tenemos una mesa y sillas pequeñas en la cocina donde Steven y yo almorzamos todos los días. Un día, mientras estábamos comiendo sándwiches de manteca de maní y mermelada, Steven levantó la mirada y en su dulce vocecita me dijo: "Mami, ¿te has preguntado alguna vez si tal vez Dios quiere que sólo tengas un hijo?".

Muy conmovida le contesté: "Sí, he pensado que tal vez ese es el caso y, de ser así, yo estoy muy agradecida porque él me ha dado todo lo que añoraba en un hijo, envuelto en un solo paquete: ¡Tú!".

Entonces volteó su cara como un pajarito y me dijo: "Bueno, creo que lo que tenemos que hacer es seguir orando hasta que tú ya estés muy vieja para tener otro hijo. ¡Así sabremos cuál es la respuesta de Dios!".

¡Qué gran idea! Había estado preocupada por la fe de Steven pero, entre tanto, la que estaba sufriendo era mi propia fe. Mi problema era que yo creía que Dios no me amaba porque no me daba lo que yo quería tanto… una casa llena de niños. *"¿Cómo podía amarme y no cumplir los deseos de mi corazón?"*, me preguntaba. *"Tal vez él no me ama después de todo"*.

Una de las canciones favoritas que Steven solía cantar cuando tenía cuatro años tenía estas palabras:

> Mi Dios es tan grande, tan fuerte y tan maravilloso;
> No hay nada que él no pueda hacer.
> Las montañas son suyas. Los valles son suyos.
> Las estrellas son obra de él.
> Mi Dios es tan grande, tan fuerte y tan maravilloso;
> No hay nada que él no pueda hacer.

Steven no sabía con exactitud en qué momento una ya es *muy vieja*, pero él sí conocía a Dios. Él sabía que Dios *podía* hacer cualquier cosa. Si su respuesta era "No", a él eso no le causaba ningún problema. Muchas veces yo le dije que no y él entendió que al decir no, eso no significaba "no te amo". "No" sólo significa "no, porque yo soy tu madre y sé qué es lo mejor para ti".

El Señor me enseñó una gran lección mediante mi hijo de cuatro años. Vi en su fe de niño un ejemplo de la actitud de confianza que yo debo tener en mi Padre celestial, quien me ama y sabe qué es lo mejor para mí.

Después de eso, la tormenta cesó por un tiempo. Pero unos años después, azotó una marejada.

Fe en medio de las marejadas

Algunas veces le echo un vistazo a las fotografías de nuestra familia compuesta por tres sonrientes caras, y casi puedo ver la sombra de una cuarta. Porque somos cuatro, y un día nuestra fotografía estará completa.

"Steve, ¿podemos comer juntos? Tengo una pequeña sorpresa que te quiero dar".

Estaba tan emocionada por compartir con mi esposo esta noticia tan inesperada que por eso le llamé a la oficina y le pedí que nos encontráramos en nuestro restaurante favorito para comer. Después de cinco años de lucha contra la infertilidad, nos hicimos a la idea de que esa era la voluntad del Señor: criar a Steven como hijo único. Parecía que él no iba a tener un hermano o una hermana.

Y ahora, una sorpresa. En la comida, Steve le quitó el moño a una cajita. Adentro, entre papel de china, estaba una pequeña almohada de bebé. "¿Significa esto lo que estoy pensando?", me preguntó con los ojos llenos de lágrimas.

Con un nudo en la garganta, todo lo que pude decir fue: "Sí, estoy embarazada".

Después de muchos años de tratar de concebir, el Señor nos había bendecido con este embarazo inesperado. Empecé a planear como sería la habitación del bebé, el doctor confirmó que el bebé estaba creciendo, y éramos la pareja más feliz sobre la tierra. Pero nuestro júbilo se desplomó unos meses después cuando el embarazo no continuó y tuve un aborto. Se me destrozó el corazón por la tristeza y la desesperanza. Para aquellos de nosotros que creemos que la vida comienza en la concepción, un aborto puede ser devastador, porque no sólo es la pérdida de un futuro niño, sino que es la pérdida de uno que ya lo es.

Esta fue una marejada y me golpeó muy duro. Quisiera poder decirte que saqué mi Biblia y que me puse a recitar versículos sobre mi nueva identidad. Quisiera poder decirte que lo que yo dije fue: "Todas las cosas obran para bien", y que mantuve el rostro en alto. Quisiera poder decirte que me puse a orar, confiando en que "Papá lo sabe todo". No lo hice. Me metí en la cama y me lamenté por tres meses. Evité la iglesia y la gente feliz, mis oraciones se sentían vacías y mecánicas, y permití que la marejada de dolor se tragara mi esperanza. ¿Por qué? Escuché las mentiras de Satanás. "Te lo dije", se burlaba.

Fue entonces cuando mi "vigilante" vino y levantó todo el peso por mí. Cuando yo estaba muy débil para orar, Jesús oró por mí (Hebreos 6:19, 20).

Una noche de verano, unos tres meses después del aborto, estaba recostada en mi cama y lloraba, luego oraba, y después volvía a llorar. En eso me hice esta pregunta: *"¿Qué estará haciendo en este momento mi hija en el cielo? ¿Cómo será? Si tan sólo pudiera ver su cara o conversar una vez con ella"*. Cuando sucede un aborto no se hace un funeral, ni se envían tarjetas de condolencias. Yo necesitaba cerrar ese capítulo doloroso. Entonces Dios Todopoderoso extendió su mano y me dio un regalo hermoso. Tan claro como si estuviera leyendo las palabras de una hoja impresa, una carta le habló a mi corazón. Cuando las palabras cesaron, salté de la cama y escribí cada una de ellas en un papel.

> Querida mami:
> Le pregunté a Jesús si estaba bien que te escribiera una carta. Él dijo que sí.
>
> Primero te quiero dar las gracias por quererme y por darme la vida. Yo recuerdo cuán felices estaban tú y papá cuando supieron que me iban a tener. Recuerdo cómo orabas que yo llegara a conocer a Cristo desde pequeña. Recuerdo cómo orabas para que yo tuviera una misión en la vida para ayudar a los demás.
>
> Mami, yo sé que tú y mi papá se entristecieron cuando Dios decidió llevarme al cielo antes de que naciera. Vi cuánto lloraste. Pero, mami, lo que yo quería decirte es

esto: tus oraciones fueron escuchadas. Yo estoy sana, fuerte, conozco a Cristo y él me permite sentarme sobre sus piernas todos los días. Y, mami, también tengo una misión: todos los días llegan al cielo bebés que no nacieron. Muchos de ellos nunca conocieron el amor de una madre o de un padre. Cuando llegan al cielo, ellos siempre me hacen la misma pregunta: "Bebé Jaynes, dime, ¿cómo se siente tener el amor de una madre?". Y yo les puedo contar ¡oh, sí que les puedo contar!

Gracias, mami, por amarme. Yo sé que me extrañas, pero un día vamos a estar juntas y verás cuánto nos divertiremos. Hasta entonces, imagíname feliz y completa, jugando a los pies de Jesús y contándole a otros bebés lo que se siente al tener una mami que los ama.

Nos vemos pronto,
Bebé Jaynes

¡Qué regalo tan hermoso el que me había dado el Señor! El tiempo de luto se terminó. Aún hay días en los que anhelo tener a ese bebé. Algunas veces, al mirar las fotografías de nuestra familia de tres que adornan las paredes de nuestra sala familiar, yo veo una cuarta sombra en la luz. Pero vendrá un día cuando mi pequeña niña dejará de ser sólo una sombra. La sostendré entre mis brazos. Pero hasta entonces, me da una gran tranquilidad el saberla sana y que está en los brazos amorosos de Jesús.

Fe es creer en Dios sin importar lo que nos digan nuestros ojos y nuestras emociones. No es suficiente con saber las palabras y tenerlas en la cabeza; debemos creerlas con el corazón. Fe es confiar en Dios en la oscuridad. Es saber que él está en el bote con nosotras durante la calma y durante las grandes tormentas de la vida. Él te ama, querida amiga, más de lo que jamás podrás saber.

¿Cuál informe vas a creer?

La fe es lo que nos transporta a nuestra tierra prometida personal. En el Antiguo Testamento, Dios liberó a los israelitas de la esclavitud en Egipto. Moisés dirigió a la gente bajo las puertas marcadas con sangre de la Pascua, por la tierra seca a través del mar Rojo, y hacia una tierra que emanaba leche y miel. Los viajeros fueron testigos de cómo Dios partió el mar, de cómo hizo llover codornices del cielo, de cómo esparció maná sobre la tierra, y de cómo hizo brotar agua de una roca. Él los guió con fuego por la noche y con una nube durante el día. Y aún así, cuando llegó el momento de marchar hacia la tierra prometida, la tierra que era suya y que sólo tenían que tomarla, se enfrentaron a una crisis de fe.

Entonces el SEÑOR habló a Moisés diciendo: "Envía hombres para que exploren la tierra de Canaán, la cual yo doy a los hijos de Israel" (Números 13:1, 2). Moisés envió a 12 espías para reconocer la tierra. A su regreso, diez de ellos dieron el siguiente informe:

> —Nosotros llegamos a la tierra a la cual nos enviaste, la cual ciertamente fluye leche y miel. Este es el fruto de ella. Sólo que el pueblo que habita aquella tierra es fuerte. Sus ciudades están fortificadas y son muy grandes… No podemos subir contra aquel pueblo, porque es más fuerte que nosotros… La tierra que fuimos a explorar es tierra que traga a sus habitantes. Todo el pueblo que vimos en ella son hombres de gran estatura… Nosotros, a nuestros propios ojos, parecíamos langostas; y así parecíamos a sus ojos (Números 13:27-33).

Pero dos de los espías, Caleb y Josué, creyeron en Dios:

> —¡Ciertamente subamos y tomémosla en posesión, pues nosotros podremos más que ellos!… Si el SEÑOR se agra-

da de nosotros, nos introducirá en esa tierra. Él nos entregará la tierra que fluye leche y miel. Sólo que no os rebeléis contra el SEÑOR, ni temáis al pueblo de esa tierra, porque serán para nosotros pan comido. Su protección se ha apartado de ellos, mientras que con nosotros está el SEÑOR. ¡No los temáis! (Números 13:30; 14:8, 9).

¿Adivina a quién le creyó la gente? Ellos creyeron el "informe maligno": a los diez hombres que no creían en Dios a diferencia de a los dos que sí creían. Dios ya les había dado la tierra; la gente simplemente tenía que avanzar y tomarla. Pero, en lugar de entrar a la tierra prometida, ellos vagaron por el desierto por el resto de sus vidas. Toda esa generación murió en su incredulidad, excepto Caleb y Josué.

Pero cuando vino la siguiente generación, ellos sí creyeron en Dios y entraron a la tierra prometida, pero eso no lo vieron sus padres. Nosotras podemos ser iguales a esa generación de incrédulas, salvadas de la esclavitud pera seguir vagando por el desierto de la incredulidad. Yo tengo una definición para el miedo: "Falsa evidencia que parece real". Ellos vieron únicamente a los gigantes pero no lograron ver a Dios Todopoderoso.

Oswald Chambers dice:

La debilidad humana es otra de las cosas que se interponen entre las palabras de afirmación de Dios y nuestras propias palabras y pensamientos. Cuando nos damos cuenta de lo débiles que somos al enfrentar dificultades, estas se convierten en gigantes y nosotros nos volvemos unos saltamontes, y Dios parece no existir. Pero recuerde la certeza que Dios nos da: "Nunca te... dejaré". ¿Hemos aprendido a cantar al escuchar las notas que Dios toca? ¿Tenemos el suficiente valor continuamente como para decir: "El Señor es mi ayuda", o nos detenemos ante el temor?[7].

He aquí mi pregunta para ti: ¿cuál informe vas a creer? ¿Vas a creer a la Palabra de Dios o al enemigo quien está tratando de detenerte para que no entres a tu tierra prometida a causa del miedo?

Satanás dice: "No puedes hacerlo". Dios dice: "Yo ya lo hice".

Yo no quiero ser como aquellos israelitas que no creyeron en Dios. Hemos visto promesas asombrosas en la Biblia sobre quiénes somos, qué tenemos y dónde estamos en Cristo. ¿Vas a avanzar a la tierra que fluye leche y miel? ¿Vas a tomar esas promesas y hacerlas tuyas?, o ¿vas a creer en el informe maligno y seguir vagando por el desierto, libre de la esclavitud pero sin disfrutar de la tierra prometida? ¿Cuál informe vas a creer?

Una mente renovada
Cambia tu manera
de pensar

Hace varios años, mi familia y yo hicimos un viaje de paseo hacia el oeste de los Estados Unidos. Volamos al estado de Nevada, alquilamos un auto, y empezamos nuestro viaje de más de 4.000 kilómetros en diez días. Uno de los lugares donde nos detuvimos fue Jackson Hole, en el estado de Wyoming, tierra de vaqueros.

El sábado por la noche asistimos al rodeo local. Nos sentamos, tres citadinos, entre puros pueblerinos que gritaban de alegría. No era muy difícil decir quiénes eran los turistas de entre la gente del pueblo. Unos traían zapatos de tenis, y otros botas vaqueras; unos traían bufandas, y los otros pañuelos; unos mascaban chicle, y los otros mascaban tabaco; unos traían puestas gorras con visera, y los otros sombreros vaqueros muy grandes; unos traían una delgadas chaquetas de nylon para el viento, y los otros chaquetas de piel con flecos en las mangas. (¡Quién iba a saber que la temperatura en una noche de julio iba a bajar hasta 1.5 grados centígrados una vez que el sol se pone detrás de las montañas Grand Teton!).

La habilidad de los vaqueros llenó de asombro y diversión a aquellos que pensábamos que un Bronco era una camioneta de doble tracción. Los vaqueros, jóvenes y viejos, montaron broncos que se sacudían, hicieron carreras alrededor de barriles, y conquistaron toros enfurecidos. El evento más emocionante fue el concurso de lazo.

El moderador anunció: "Y ahora… aquí está el campeón de lazo de 1997, de la escuela secundaria Jackson Hole".

Mi hijo me miró con asombro. "¿El lazo es uno de sus deportes escolares? ¿Hacen esto en su clase de deportes?". Todos nos sentamos en la orilla de nuestros asientos mientras el vaquero esperaba, manteniendo el equilibrio en su silla de montar, anticipando la salida del ternero. La puerta del corral se abrió y el ternero salió irrumpiendo. El vaquero, con lazo en mano, salió a todo galope por una segunda puerta y persiguió al animal que corcoveaba, se doblaba y galopaba. Él enlazó al ternero por el cuello, lo tiró al suelo, rápidamente le amarró las patas, lo amarró muy bien, e inmediatamente saltó y levantó los brazos en señal de victoria. Mientras el triunfador recibía los aplausos, su corcel entrenado daba tres pasos atrás para asegurar el lazo. "Así es, esta vaquilla no va a ningún lado", parecía como si dijera al caballo.

El cronómetro siguió andando unos segundos más para asegurarse de que el ternero estaba en verdad cautivo. Entonces, el tablero de calificaciones mostró el tiempo que hizo el vaquero. Una y otra vez las manos de los vaqueros enlazaban pequeños terneros, aseguraban a sus cautivos y levantaban las manos en señal de victoria. Muy pocas veces algún ternero se escapaba del lazo y lograba salir por la puerta al otro lado del corral.

Debo admitir que sentí lastima por los pequeños terneros, aunque los liberaban tan pronto como marcaban el tiempo. La primera vez que un ternero escapó del lazo, yo aplaudí como enloquecida. Algunos de los presentes me hicieron entender con una mirada de furia que era inaceptable aplaudirle al ternero. A medida que continuábamos observando el evento, el Señor me "pinchó" la mente y me dijo que observara y aprendiera. De pronto lo entendí. Este evento era la imagen perfecta para lo que Pablo describió en 2 Corintios 10:5 al decir:

"Destruimos los argumentos y toda altivez que se levanta contra el conocimiento de Dios; llevamos cautivo todo pensamiento a la obediencia de Cristo".

Esos terneros me recordaron aquellos pensamientos salvajes y confusos que a veces salían irrumpiendo del establo de mi mente: pensamientos negativos, rebeldes, temerosos, enojados, preocupados, celosos, degradantes que son indomables e ingobernables; y que corcovean, brincan y corren libres por planicies de tranquilidad. Y mi reacción debería ser la del vaquero: cabalgar hasta pisarle los talones a ese pensamiento, enlazarlo con la verdad, amarrarlo bien y lanzarlo al suelo. Mi respuesta debería ser igual a la del caballo entrenado del vaquero que, gracias a la práctica, da tres pasos atrás para asegurarse de que el pensamiento engañador "no va a ningún lado".

Entrenada mediante la práctica. Tomando cautivo todo pensamiento. ¡Sí, señora mía! Vamos a enlazar esos pensamientos, vamos a amarrarlos y, finalmente, vamos a tirarlos al polvo de donde salieron desde el principio. Después podremos levantar los brazos en señal de victoria y todo el cielo nos aplaudirá. Y créeme, mientras más rápido, mejor.

Necesitamos darnos cuenta de que se está llevando a cabo una fiera batalla para controlar nuestra mente. Regresemos al versículo que mencionamos anteriormente:

> Pues aunque andamos en la carne, no militamos según la carne; porque las armas de nuestra milicia no son carnales, sino poderosas en Dios para la destrucción de fortalezas. Destruimos los argumentos y toda altivez que se levanta contra el conocimiento de Dios; llevamos cautivo todo pensamiento a la obediencia de Cristo (2 Corintios 10:3-5).

Esta batalla no se lleva a cabo mediante un combate mano a mano, sino con lucha de espíritu a espíritu. Cada batalla espiritual se gana o se pierde en el umbral de la mente, al igual que el ternero cuando irrumpe por la puerta. Vamos a estudiar cuatro pasos para lograr capturar cada pensamiento.

Reconoce la verdadera identidad del enemigo

La mañana del martes 11 de septiembre del 2001, después de que mi hijo se fue a la escuela y mi esposo a su trabajo, fui a caminar por un largo rato. El cielo estaba de un hermoso azul cristalino y una suave brisa pasaba entre mi cabello. Era un día fresco y hermoso de otoño en Carolina del Norte, y las hojas de los árboles empezaban a cambiar de color. Yo no tenía nada especial en mi calendario, sólo lo de siempre. Sin embargo, una hora más tarde, a causa de los espantosos ataques terroristas en Nueva York y en Washington, DC, hechos por el demonio personificado, el día no tuvo nada de ordinario. Yo miraba horrorizada las imágenes de los aviones estrellándose en las torres gemelas del *World Trade Center* (Centro de Comercio Mundial) y el Pentágono que la televisión repetía una y otra vez.

Increíble, pero nunca lo vimos venir. Todo empezó como un día común y corriente.

Mientras estaba pensando eso, Dios me recordó que así es como el enemigo siempre ataca, cuando menos lo esperamos.

El 31 de diciembre de 1999, el país y el mundo se sobrecogieron en espera de los posibles efectos desastrosos de la llegada del año 2000. Las familias y los negocios por igual se prepararon por meses para la posibilidad de un desastre en potencia en cuanto llegara la media noche y el nuevo año. Sostuvimos la respiración, nos agarramos de las manos y nos abrazamos. Sí, estábamos listos. Pero, ¿qué pasó? Nada. El nuevo milenio llegó sin incidentes. Pero en cambio, en un día común y corriente como el 11 de septiembre del 2001, cuando menos lo esperábamos, una fuerza satánica atacó nuestro país como nunca antes en la historia.

Queridas amigas, ¿ven la correlación? Hay un enemigo que busca robar, matar y destruir (Juan 10:10). Su nombre es Satanás. Él desea destruirnos al igual que los terroristas estrellaron esos aviones en las torres gemelas.

Satanás tiene otros nombres: el demonio, el acusador de los hermanos, el mentiroso y el padre de las mentiras, el engañador. Un engañador es alguien quien te presenta una mentira de tal manera que la hace parecer como la verdad. Él puede hacerte creer que algo *no* es verdad cuando en realidad *sí* lo es, y viceversa. Él habla con tu propia voz. Los pensamientos parecen ser tuyos y eso es porque son tu antiguo "yo" que él tiene bien memorizados. Él no es muy creativo, pero sí muy efectivo, y sigue usando los mismos métodos que utilizó al principio de los tiempos.

El primer paso para cambiar la manera en que pensamos es reconocer la verdadera identidad del enemigo. No es tu madre, ni tu padre, tampoco es la persona que abusó de ti cuando eras aún una niña. El verdadero enemigo es Satanás, quien usa tus heridas y fracasos del pasado como carne de cañón. Si tú no tienes suficientes municiones en tu pasado, él fabrica unas de su propia inspiración.

Una vez estaba sentada con un grupo de doce mujeres quienes compartían algunas de sus luchas de la infancia y a quienes les costaba desprenderse de ellas. En cierto momento, una de las señoras, que había estado callada casi toda la sesión, empezó a llorar.

"Todas ustedes tuvieron grandes dificultades en sus vidas. Sin embargo, yo tuve una infancia maravillosa. Soy una persona terrible y no tengo a nadie a quien echarle la culpa por ello".

En ese preciso momento me di cuenta de que muchos cristianos están luchando contra el enemigo equivocado. Estamos culpando a personas de nuestro pasado, en vez de al demonio quien distorsiona y engaña. Tú no puedes ganar la guerra si no sabes quién es tu enemigo. Que no te engañen, el verdadero enemigo es el propio engañador.

Reconoce las mentiras de Satanás

Mi vecino Michael fue el doble del personaje Samuel, el hijo de nueve años de edad de Benjamín Martin (Mel Gibson) en la película "El Patriota".

Por cuatro meses, Michael llevó el cabello largo con extensiones, usó pantalones ceñidos bajo la rodilla y medias altas, y actuó el papel de un niño de la época de la colonia norteamericana. Él viajó a la zona rural de Carolina del Sur donde se filmó parte de la película, y aprendió cómo se produce una película para la pantalla grande. Michael vio cómo los productores y las maquilladoras hacían que algo pareciera real. La película fue clasificada sólo para adultos por su alto contenido de violencia, pero aún así los padres de Michael de tan sólo nueve años de edad, le permitieron verla en cuanto se estrenó. Esta película fue una representación sangrienta y muy realista de los horrores de la Guerra de Revolución Norteamericana. Sin embargo, durante las escenas donde se mostraban cuchilladas y las entrañas de una persona, el pequeño Michael ni siquiera pestañeaba. ¿Por qué? Porque él sabía que todo eso no era real.

En una escena, Mel Gibson golpeó con el puño a un soldado británico y le lanzó un hacha que se le clavó justo a la mitad de la frente. Yo me cubrí los ojos. Michael observó todo sin pestañear. ¿Cuál fue su comentario?

"Ese hombre anduvo tres días por todo el *set* con el hacha en la frente. Hasta comimos juntos un día mientras él tenía el hacha y la sangre falsos pegados en la cara. ¡Nada es real!".

Michael sabía lo que era verdadero y eso eliminó todo miedo en él. Ese es el poder de la verdad.

En 2 Corintios 2:11 Pablo dice: "pues no ignoramos sus [de Satanás] propósitos". Por eso, vamos a tomar unos momentos para analizar su plan de batalla. "El que está en vosotros es mayor que el que está en el mundo" (1 Juan 4:4), y Pablo nos recuerda que: "en todas estas cosas somos más que vencedores por medio de aquel que nos amó" (Romanos 8:37). Ahora veamos cómo opera este adversario vencido y cómo juega con nuestra mente para que podamos reconocer sus mentiras en cuanto nos dispara con ellas.

Si Satanás se te apareciera vestido con un traje rojo y con un trinchete, y te dijera que es el demonio, tú no le creerías ni una sola palabra. Pero él es astuto, y se disfraza como ángel de luz (2 Corintios 11:14). Cuando engañó a Eva, hasta citó las palabras de Dios, pero las citó torcidas y distorsionadas. Él guarda una colección de cintas de tu pasado para presionar el botón de rebobinar y tocar, rebobinar y tocar. Sí, él sabe qué botones apretar. En lugar de usar la palabra "tú", él usa la palabra "yo" de modo que los pensamientos en nuestra mente suenan más o menos así: "Soy un fracaso. Soy una perdedora. No puedo hacer nada bien. Soy fea". Esos pensamientos suenan como si fueran nuestros, se sienten como nuestros y antes de lo que nos imaginamos creemos que ese es nuestro verdadero yo. Él ha hecho lo mismo a lo largo y ancho de las Escrituras, y lo sigue haciendo hoy en día.

En 1 Crónicas 21:1 el autor dice: "Satanás se levantó contra Israel e incitó a David a que hiciese un censo de Israel". Por supuesto, David pensó que esa era su propia idea, pero la Biblia afirma claramente que no fue así. Nueve meses después, una vez que el censo fue completado, David sintió la convicción de haber desobedecido a Dios. Dios le perdonó a David, pero él tuvo que sufrir las consecuencias de sus acciones.

Satanás sabe exactamente qué mentiras decirte al oído. Él te ha observado a través de los años y está bien familiarizado con tu inseguridad, debilidad y vulnerabilidad. ¿Tienes la tendencia a sentirte desanimada? Él planta semillas de desánimo en tu mente. ¿Tienes la tendencia a sentirte rechazada y sola? Él pone ideas de rechazo en tu mente también. Pero, ¿son la verdad? No, por supuesto que no. Tú puedes hacer todas las cosas mediante Cristo quien te da la fuerza (Filipenses 4:13). Tú eres amada y has sido elegida por Dios

(Colosenses 3:12). Esa es la verdad. Empezamos a sustituir las mentiras con verdad cuando tomamos cautivo cada pensamiento a la obediencia de Cristo.

Como ya lo hemos confirmado, Satanás quiere robarte el gozo,
robarte la libertad que te pertenece en Cristo, y engañarte para que
pienses que sigues siendo esclava del pecado (que no tienes salida) en
vez de esclava de justicia. Él quiere evitar que entiendas y aproveches
tu herencia espiritual, y quiere que sigas viviendo como una mendiga
y no como una hija del Rey. Él no quiere que creas la verdad sobre
quién eres, qué tienes, y dónde te encuentras en Cristo, porque sabe
que si lo consigue va a poder alejarte de todo lo que Dios quiere que
seas, de lo que Dios quiere que hagas y de lo que Dios quiere que tengas. Espero que eso te haga enojar un poco; a mí sí me enoja.

En el capítulo 2 vimos cómo Satanás tocó a la puerta de Eva en
Génesis 3 y le dijo una cantidad de mentiras, las cuales ella creyó sin
dudar ni un poco. Él después continuó con sus hijos, con Caín más
específicamente.

Caín no era un niño feliz. Estaba enojado porque Dios había aceptado la ofrenda de su hermano y no la de él. Dios enfrentó a Caín por
causa de su envidia y enojo. Al parecer, su cara lo decía todo: "¿Por
qué estás tan enojado? ¿Por qué andas cabizbajo? Si hicieras lo bueno,
podrías andar con la frente en alto. Pero si haces lo malo, *el pecado te
acecha, como una fiera lista para atraparte*. No obstante, tú puedes domi-
narlo" (Génesis 4:6, 7, Nueva Versión Internacional, énfasis agregado).

"La palabra hebrea para 'acechar' es igual a la antigua palabra
babilónica usada para referirse a un demonio maligno que acecha a la
puerta de un edificio para amenazar a las personas que se encuentran
dentro. El pecado puede ilustrarse como uno de esos demonios
esperando lanzarse sobre Caín; deseaba atraparlo"[1]. Lamentablemente,
Caín no lo dominó sino que permitió que aquel pensamiento maligno
se volviera una acción, tal como lo hizo su mamá. Cuando pienso en la
palabra "lanzarse" imagino a un león listo para abalanzarse sobre su

presa. Qué coincidencia que a Satanás se le llama igual que a ese animal. "Vuestro adversario, el diablo, como león rugiente, anda alrededor buscando a quién devorar" (1 Pedro 5:8). En el momento en que cedemos a la tentación, Satanás cambia de inmediato su estrategia y se vuelve el acusador y nos lanza imputaciones a través de nuestros pensamientos para que sintamos vergüenza y condenación.

¡La buena noticia al respecto de esta batalla es que la victoria ya fue lograda! Se logró en la cruz del Calvario. Satanás es un enemigo vencido; nosotras simplemente necesitamos reconocer sus mentiras, rechazarlo y recordar que la victoria es nuestra en Cristo Jesús. Esta no es una batalla a la cual debamos temer. Es una batalla que debemos reconocer y pelear con la Palabra de verdad.

¿Cómo podemos empezar a reconocer las mentiras? Debemos empezar por conocer la verdad, y eso se logra mediante el conocimiento de la Palabra de Dios. Cuando a un cajero de banco se le capacita para reconocer dinero falso, los instructores utilizan dinero auténtico para enseñarles. Les enseñan cómo es el dinero auténtico —su color, la numeración, las marcas— y así poder reconocer el dinero falso. De igual forma, nosotras podemos detectar las mentiras del enemigo si sabemos la verdad de quiénes somos, dónde estamos y qué tenemos en Cristo. Por lo tanto, si algún pensamiento llega a tu mente y no corresponde a lo que dice la Biblia, entonces sabrás que no es verdad. Nosotras tenemos la capacidad para rechazar las mentiras y reemplazarlas con la verdad.

Rechaza las mentiras

Una vez llegó a mi casa un vendedor ambulante de aspiradoras. Para mi pesar, lo dejé entrar. Antes de que pudiera convencerlo de que yo no necesitaba una aspiradora nueva, él ya tenía su basura de demostración esparcida por todo el piso de la entrada. Dos horas después por fin pude hacer que se marchara. Mi primer error fue haberle permitido cruzar el umbral de la puerta y dejar que entrara en mi casa. Una vez que entró fue muy difícil hacer que se fuera. Lo mismo sucede con nuestros pensamientos. Una vez que alimentamos un pensamiento, una vez que le permitimos al "vendedor" esparcir su "basura" en nuestra mente, es difícil eliminarlo o sacarlo. La victoria más fácil se lleva a cabo en el umbral; ni siquiera le permitas cruzar la puerta. Hay un dicho que dice: "Cada batalla espiritual se gana o se pierde en el umbral de la mente". Yo pienso que aún puede lograrse la victoria cuando el pensamiento ha cruzado al otro lado del umbral, pero nos vamos a ahorrar muchos dolores de cabeza y sufrimientos si empezamos a reconocer las mentiras de Satanás y las rechazamos desde el principio.

Regresemos a 2 Corintios 10:3-5 y profundicemos un poco para descubrir el significado tan rico de algunas palabras clave en el lenguaje original griego del Nuevo Testamento:

> Pues aunque andamos en la carne, no militamos según la carne, porque las armas de nuestra milicia no son carnales, sino poderosas en Dios para la destrucción de fortalezas. Destruimos los argumentos y toda altivez que se levanta contra el conocimiento de Dios; llevamos cautivo todo pensamiento a la obediencia de Cristo.

Estos versículos nos dicen que a través de Cristo tenemos el poder para "la destrucción de fortalezas". ¿Qué es una fortaleza? En griego, la palabra "fortaleza" es *echo* que significa "sostenerse". Una derivación de esa palabra es *echuroma* que significa "fortaleza, fortificación, fuerte". La profesora de Biblia Beth Moore describe una fortaleza, fortificación, o un fuerte como "cualquier cosa en nuestra vida a lo que nos aferramos y que termina sosteniéndonos"[2]. Se forman cuando ciertos pensamientos o patrones de hábito hacen eco en nuestra vida una y otra vez. Son pensamientos negativos que hacen una herida en nuestra mente a través de la repetición (tal como el abuso verbal), o un incidente traumático (tal como la violación). Estos patrones de pensamiento tienen el potencial de aferrar la mente y reinar en esa vida. También vemos a las fortificaciones como paredes de protección que han sido construidas ladrillo a ladrillo, o pensamiento a pensamiento. Estas fortalezas pueden convertirse en prisiones que nos encarcelan en vez de ser unas que nos mantienen seguras. "Sin importar lo que es una fortaleza, todas tienen una cosa en común: Satanás está llenando ese tanque mental con engaños para que la fortaleza siga funcionando"[3].

La palabra "destruimos" implica un tipo de destrucción que requiere de un poder tremendo: el poder divino. Una razón por la que muchos cristianos han permanecido bajo el yugo de seguir siendo esclavos de los pecados y las mentiras del enemigo es debido a que atacan las fortalezas como si estas fueran mosquitos, en vez de vencerlas con la verdad como si fueran fortalezas de concreto construidas a través de los años. Nosotras no tenemos el poder de destruir las fortalezas demoníacas con nuestra propia fuerza, ni siquiera en el mejor de nuestros días. Sin embargo, el Espíritu Santo puede destruir fortalezas con su poder aún en el peor de nuestros días. La palabra griega para el poder del Espíritu Santo es *dunamous*, de la cual procede la palabra "dinamita". "Las armas de nuestra milicia no son carnales, sino poderosas en Dios para la destrucción de fortalezas" (2 Corintios 10:4).

El versículo continúa describiendo otra área que tiene que ser destruida. "Destruimos los argumentos y toda altivez que se levanta contra el conocimiento de Dios" (versículo 5). No sé tú, pero en algunas ocasiones (bueno, está bien, en más ocasiones que las que puedo contar) yo he discutido con Dios y contra el conocimiento de Dios. ¿Adivina qué? Dios siempre gana.

La palabra griega para "argumentos" es *logismos* y que significa "un cálculo, cómputo, consideración, reflexión". Un pensamiento calculado podría ser por ejemplo la conclusión de que tú eres un fracaso después de que fracasaste en algo. Eso parece lógico. Una cosa lleva a otra. Después de reflexionarlo, todo aquello parece posible. Sin embargo, eso no es lo que la verdad dice, y va en contra del conocimiento de Dios. Sin importar tus cálculos, Dios dice que tú eres una santa que ha sido bendecida con toda bendición espiritual en los lugares celestiales como hija de Dios y como heredera con Cristo. Tú no eres un fracaso, y necesitas reemplazar la mentira con la verdad.

Reemplaza las mentiras con la verdad

¿Cómo pudo una pequeña insegura como yo crecer y tener la confianza en Cristo para estar en frente de cientos de mujeres y enseñarles, o para escribir un libro? No tiene nada que ver con técnicas de autoayuda, pero sí tiene mucho que ver con el reemplazo de las mentiras por la verdad. Te puedo asegurar que esto aún no termina. Reemplazar las mentiras con la verdad es un proceso continuo en mi vida.

Ese proceso me recuerda cuando compré mi primera computadora. Estaba tan emocionada que rompí la caja, leí las instrucciones para conectar todos los cables y la encendí. Pero para mi desánimo, ese fue el final de mi alegría y el inicio de mi exasperación. Nada funcionaba adecuadamente. Yo no sabía lo suficiente de computadoras como para hacer siquiera un diagnóstico del origen del problema; así que llamé al departamento de ayuda técnica.

—Señora Jaynes, parece que el problema es que tiene archivos cruzados.

—¿Qué quiere decir eso?

—Bueno, eso quiere decir que vamos a tener que borrar todos los programas de su computadora y reinstalar todo de nuevo.

Yo estaba aterrada, pero al mismo tiempo me sentía un tanto confortada por la palabra "vamos" (nosotros).

Por las siguientes cuatro horas, el técnico me guió por el proceso de quitar todos los programas de la computadora y reinstalarlos de nuevo.

Antes de llegar a Cristo, aprendemos a satisfacer con nuestros propios medios nuestras necesidades básicas como el sentirnos importantes, seguras y aceptadas. Somos programadas por el mundo, por la carne y por el demonio para vivir independientes de Dios. Cuando nos entregamos a Cristo, ese *software* continúa estando en nuestro "disco duro". Satanás ha leído los archivos y hace su mejor esfuerzo para mantener intactos esos archivos corruptos. Lleva tiempo programar nuestra mente con la verdad de Dios, pero él es nuestro técnico. Él es muy paciente y nos llevará de la mano durante todo el proceso, paso a paso para llevarnos a toda verdad (Juan 16:13). Lo que nosotras tenemos que hacer es oprimir las teclas, reconocer los programas corruptos, eliminarlos e instalar la verdad incorruptible. Nosotras renovamos nuestra mente si constantemente elegimos creer la verdad.

Así como Satanás intenta engañarnos a ti y a mí, así también intentó engañar al Hijo de Dios con mentiras, y causarle que perdiera su herencia y abandonara su misión. Jesús nunca fue programado con mentiras como nosotros, pero Satanás intentó tentarlo con mentiras.

Después de que Jesús estuvo en el desierto ayunando por cuarenta días, Satanás fue a él con tres tentaciones. De la misma forma en que tentó a Eva, él tentó a Jesús en tres áreas clave de su vida: su cuerpo, su alma y su espíritu. ¿Cómo luchó Jesús contra el enemigo? Lo combatió con las Escrituras, lo conquistó con la verdad. Cada vez que Satanás le presentaba un pensamiento maligno, Jesús le decía: "Escrito está…" (Mateo 4:1-11).

Aunque la naturaleza de las tentaciones que pasó Jesús es similar a las nuestras, fueron específicas para sus desafíos particulares. Por ejemplo, Satanás probablemente no nos va a tentar para que transformemos una roca en pan; sus tentaciones están hechas a la medida para ajustarse a nuestras luchas personales.

No es pecado ser tentadas. La Biblia dice que Jesús fue tentado y aún así él no pecó. Se convierte en pecado una vez que hacemos algo con ese pensamiento, cuando lo aceptamos como verdad al meditar en ello o al pensarlo una y otra vez. Como dijo una vez Martín Lutero: "Tú no puedes evitar que las aves vuelen sobre tu cabeza, pero sí puedes evitar que hagan su nido sobre tu sombrero".

Permíteme darte otro ejemplo. Yo creo que Satanás nos envía correos electrónicos todo el día (correos malignos). ¿Es nuestra culpa cuando un correo seductor aparece en la pantalla de nuestra computadora? Si recibimos un correo que no solicitamos y que dice: "Oprime aquí si quieres una noche de pasión", ¿es culpa nuestra? No, a menos que tú hayas puesto tu nombre en alguna lista de ese tipo de correos. ¿Cuándo se vuelve pecado el correo electrónico? En el momento en que "oprimimos aquí" y aceptamos la invitación. De igual forma, cuando el enemigo nos tienta a creer una mentira, la tentación no es pecado; se convierte en pecado cuando aceptamos aquel pensamiento y lo hacemos propio. Nuestra responsabilidad es eliminar la mentira y reemplazarla con la verdad. Cuando se trata de vencer a Satanás, el doctor Neil Anderson bien dijo: "Tú no tienes que gritarle para sacarlo, ni tampoco tienes que usar la fuerza con él para librarte de su influencia. Lo único que tienes que hacer es usar la verdad con él"[4].

A continuación hay una lista con las mentiras más comunes del enemigo y la verdad que las destruye. He citado cada una de las mentiras en primera persona del singular porque el enemigo las pone de esa manera en nuestros pensamientos.

Mentiras de Satanás	La verdad de Dios
Soy una perdedora. No puedo hacer nada bien.	"¡Todo lo puedo en Cristo que me fortalece!" (Filipenses 4:13).
Nadie me ama.	"Porque de tal manera amó Dios al mundo, que ha dado a su Hijo unigénito" (Juan 3:16).

No puedo hacer este trabajo. No tengo los dones adecuados.	"No que seamos suficientes en nosotros mismos, como para pensar que algo proviene de nosotros, sino que nuestra suficiencia proviene de Dios. Él mismo nos capacitó como ministros del nuevo pacto, no de la letra, sino del Espíritu. Porque la letra mata, pero el Espíritu vivifica" (2 Corintios 3:5, 6).
Dios no puede amarme.	"Mirad cuán grande amor nos ha dado el Padre para que seamos llamados hijos de Dios. ¡Y lo somos! Por esto el mundo no nos conoce, porque no le conoció a él" (1 Juan 3:1).
Estoy muy preocupada por esto.	"Por nada estéis afanosos; más bien, presentad vuestras peticiones delante de Dios en toda oración y ruego, con acción de gracias. Y la paz de Dios, que sobrepasa todo entendimiento, guardará vuestros corazones y vuestras mentes en Cristo Jesús" (Filipenses 4:6, 7).
Tengo miedo de fallar.	"Encomienda al SEÑOR tus obras, y tus pensamientos serán afirmados" (Proverbios 16:3).
Soy muy fea.	"El Espíritu del SEÑOR Dios está sobre mí, porque me ha ungido el

SEÑOR. Me ha enviado para... darles una diadema en lugar de ceniza" (Isaías 61:1, 3).

Nadie ora jamás por mí.

Jesús dijo: "Yo ruego por ellos" (Juan 17:9).

Soy una perdedora y estoy muy deprimida. Nada me sale bien jamás.

"Bendito sea el Dios y Padre de nuestro Señor Jesucristo, quien nos ha bendecido en Cristo con toda bendición espiritual en los lugares celestiales" (Efesios 1:3).

No puedo contenerme.

"Someteos, pues, a Dios. Resistid al diablo, y él huirá de vosotros" (Santiago 4:7).

Estoy completamente sola.

Dios ha dicho: "Nunca te abandonaré ni jamás te desampararé" (Hebreos 13:5).

Tengo miedo de lo que me haga Satanás.

"El maligno no le toca" (1 Juan 5:18).

Soy mercancía dañada.

"¿O no sabéis que vuestro cuerpo es templo del Espíritu Santo, que mora en vosotros, el cual tenéis de Dios, y que no sois vuestros? Pues habéis sido comprados por precio. Por tanto, glorificad a Dios en vuestro cuerpo" (1 Corintios 6:19, 20).

Mi situación financiera no tiene esperanza.	"Mi Dios, pues, suplirá toda necesidad vuestra, conforme a sus riquezas en gloria en Cristo Jesús" (Filipenses 4:19). "Más bien, buscad primeramente el reino de Dios y su justicia, y todas estas cosas os serán añadidas" (Mateo 6:33).
Tengo miedo.	"La paz os dejo, mi paz os doy. No como el mundo la da, yo os la doy. No se turbe vuestro corazón, ni tenga miedo" (Juan 14:27). "Porque no nos ha dado Dios un espíritu de cobardía [miedo], sino de poder, de amor y de dominio propio" (2 Timoteo 1:7).
Nunca voy a salir de esta.	"Porque todo lo que ha nacido de Dios vence al mundo; y ésta es la victoria que ha vencido al mundo: nuestra fe" (1 Juan 5:4).
No soy lo suficientemente buena como para ir al cielo.	"Porque por gracia sois salvos por medio de la fe; y esto no de vosotros, pues es don de Dios. No es por obras, para que nadie se gloríe" (Efesios 2:8, 9).

¿Cómo va a amarme Dios después de todo lo que he hecho?	"Asimismo, nos escogió en él desde antes de la fundación del mundo" (Efesios 1:4).
No soy diferente. Soy igual que antes de ser cristiana.	"De modo que si alguno está en Cristo, nueva criatura es; las cosas viejas pasaron; he aquí todas son hechas nuevas" (2 Corintios 5:17).
Me siento vacía por dentro.	"Vosotros estáis completos en él [Cristo]" (Colosenses 2:10).
Dios me ama, pero no creo que le caiga muy bien.	"Vosotros sois mis amigos, si hacéis lo que yo os mando" (Juan 15:14).
¡Cómo desearía ser tan talentosa como ella!	"De manera que tenemos dones que varían según la gracia que nos ha sido concedida" (Romanos 12:6).
Todos están en mi contra.	"Si Dios es por nosotros, ¿quién contra nosotros?" (Romanos 8:31).
Soy un desastre.	"Porque somos hechura de Dios, creados en Cristo Jesús para hacer las buenas obras que Dios preparó de antemano para que anduviésemos en ellas" (Efesios 2:10).

Me siento condenada.	"Ahora pues, ninguna condenación hay para los que están en Cristo Jesús" (Romanos 8:1).
Si Dios me ama, ¿por qué permitió que esto sucediera?	"Y sabemos que Dios hace que todas las cosas ayuden para bien a los que le aman, esto es, a los que son llamados conforme a su propósito" (Romanos 8:28).
No estoy impactando las vidas de mis familiares, de mis amigos, o de las personas con quienes trabajo.	"Vosotros sois la sal de la tierra… Vosotros sois la luz del mundo" (Mateo 5:13, 14).
Estoy muy deprimida por no estar casada.	"Ven acá. Yo te mostraré la novia, la esposa del Cordero" (Apocalipsis 21:9).
No se puede hacer nada, yo soy así.	"Y sabemos que nuestro viejo hombre fue crucificado juntamente con él, para que el cuerpo del pecado sea destruido, a fin de que ya no seamos esclavos del pecado" (Romanos 6:6).
Nadie me escoge nunca.	"Yo os elegí a vosotros" (Juan 15:16).
Lo que he hecho no tiene perdón.	"Si confesamos nuestros pecados, él es fiel y justo para perdonar nuestros pecados y limpiarnos de toda maldad" (1 Juan 1:9).

Simplemente no tengo lo que se necesita para ello.	"Porque en él habita corporalmente toda la plenitud de la Deidad; y vosotros estáis completos en él, quien es la cabeza de todo principado y autoridad" (Colosenses 2:9, 10).
Siento como si mis oraciones rebotaran en el techo.	"Y ésta es la confianza que tenemos delante de él: que si pedimos algo conforme a su voluntad, él nos oye. Y si sabemos que él nos oye en cualquier cosa que pidamos, sabemos que tenemos las peticiones que le hayamos hecho" (1 Juan 5:14, 15).
Soy muy débil para hacer esto.	"Más bien, en todas estas cosas somos más que vencedores por medio de aquel que nos amó" (Romanos 8:37).

Te puedo decir que me fue muy fácil hacer esta lista de mentiras porque yo he pensado casi todas ellas alguna vez. Para ganar la batalla de nuestra mente, debemos negar la mentira y reemplazarla con la verdad. Después de todo, ¿cuál columna es la verdad? Anabel Gillham tiene una idea muy sencilla para asegurarse del origen de un pensamiento. "Agrega 'en el nombre de Jesús' al final de la oración. 'No puedo continuar ni un segundo más… en el nombre de Jesús. Soy inferior a los demás… en el nombre de Jesús. No puedo hacer esto por mí misma… en el nombre de Jesús. No necesito la ayuda de Dios… en el nombre de Jesús. Él no me ama. Nadie nunca me ha amado, ni nadie lo hará jamás… en el nombre de Jesús'. El origen de estos pensamientos es obvio una vez que le pides a Jesús que los confirme, ¿no es así?"⁵.

Revisión

Tomemos un momento para revisar los pasos necesarios para cambiar la manera en que pensamos.

- *Reconoce* la verdadera identidad del enemigo.
- *Reconoce* las mentiras de Satanás.
- *Rechaza* las mentiras.
- *Reemplaza* las mentiras con la verdad.

Permíteme agregar unos cuantos pasos más:

- *Confía* en Dios para que sea él quien provea los sentimientos. Recuerda que las emociones son como la cola del perro. Una vez que empezamos a actuar sobre la base de la verdad, la cola nos seguirá, pero tal vez eso lleve tiempo. Si tú ves una serpiente en el piso, en la escala del 1 al 10 tus emociones y tu mente se disparan hasta el diez. Pero en cuanto te das cuenta de que es una serpiente de goma tu mente se tranquiliza rápidamente hasta el número uno igual que una canica en un vaso con agua, mientras que tus emociones se tranquilizan poco a poco como una canica en un vaso de aceite denso. Si tú te has creído las mentiras por más de treinta años, no esperes que tus emociones se calmen de la noche a la mañana.
- *Descansa* sabiendo que la victoria es tuya. Isaías escribió esto acerca de Dios: "Tú guardarás en completa paz a aquel cuyo pensamiento en ti persevera, porque en ti ha confiado" (Isaías 26:3). Si cometes un error y crees en la mentira…
- *Arrepiéntete*, dile a Dios que estás arrepentida, y…
- *Repite* los pasos. Empieza desde el primero. La bondad de Dios es nueva cada mañana (ver Lamentaciones 3:22, 23).

Pablo nos da una fórmula para probar los pensamientos: "Todo lo que es verdadero, todo lo honorable, todo lo justo, todo lo puro, todo lo amable, todo lo que es de buen nombre, si hay virtud alguna, si hay algo que merece alabanza, en esto pensad" (Filipenses 4:8). Otras traducciones de la Biblia dicen "centren ustedes el pensamiento" (La Biblia al Día), o "en esto meditad" (La Biblia de las Américas). No sé si te pasa a ti, pero muchas veces yo me quedo trabada con lo primero: "Todo lo que es verdadero". Yo creo que si podemos llegar a dominar el pensar en la verdad, lo demás vendrá con mayor naturalidad. Pablo continúa en el versículo 9 diciendo: "Lo que aprendisteis, recibisteis, oísteis y visteis en mí, esto haced". Él sabía que antes de que podamos cambiar la manera en que "practicamos" o actuamos necesitamos cambiar la manera en que pensamos; el pensar viene antes del hacer.

Jesús dijo: "Yo soy el camino, la verdad y la vida" (Juan 14:6). Él es verdad. Mientras más pensemos en la verdad, más nuestras mentes se harán a la imagen de Cristo, y reconoceremos más rápido las mentiras.

¡Qué hermosa te estás poniendo! ¡Yo diría que estás radiante con el brillo de Cristo! "La sabiduría del hombre iluminará su rostro y transformará la dureza de su semblante" (Eclesiastés 8:1). ¡Hermosa! ¡Absolutamente hermosa!

Un programa de ejercicios
Corre con la
meta en mente

Hace apenas unos días me sentía estresada, muy cansada y harta. No era la misma de siempre: no podía terminar nada, no quería cooperar con mi familia y me desanimaba por las dificultades de la vida.

Mi amiga Lisa me llamó por teléfono y me dijo:

—Sharon, estuve leyendo un libro sobre cómo las mujeres en la media vida pueden llegar a sentir que están perdiendo la cabeza.

—¡Oye, espera un momento! —le dije defensivamente.

—No, escucha esto —continuó ella—. La autora dice que ha notado que las mujeres de entre 35 y 45 años de edad, reportan cambios grandes en su actitud, sus sentimientos y su salud. Algunas mujeres llenas de energía y plenamente funcionales de repente se sienten sin esperanza y letárgicas. Ella llama a esto un desplome súbito[1].

—Lisa, ya sé lo que me vas a decir: ¡la autora recomienda hacer ejercicios!

Yo estaba en lo correcto.

Tengo que hacer una confesión. Debajo de nuestra mesa de ping-pong yace un aparato para hacer abdominales que no he tocado en casi cinco años. En la cochera tengo un aparato para simular el estar esquiando, cubierto con telarañas y con el polvo de años de estar durmiente. No me gusta hacer ejercicios, y aún así, a donde voltee hay doctores diciendo ¡ejercicios, ejercicios, ejercicios! ¿Quieres aumentar tu nivel de energía? Haz ejercicios. ¿Quieres aliviar esa depresión y que las endorfinas empiecen a marchar bien? Haz ejercicios. ¿Quieres quitarte esos kilos de más? Haz ejercicios. ¿Quieres dormir mejor? Haz ejercicios. ¿Quieres bajar tu colesterol? Haz ejercicios. ¿Quieres disminuir los ataques de calor súbito y los cambios de humor? Haz ejercicios.

Por eso no debemos sorprendernos de que el tratamiento de belleza total incluya… ¿qué crees? Hacer ejercicios. Casi puedo oír los gemidos y quejidos en este momento. Aunque no disfruto de hacer ejercicios, aprendí a amar el tipo de ejercicio que Pablo menciona en el Nuevo Testamento: el correr espiritual.

Pablo: nuestro entrenador personal

No me puedo imaginar a Pablo en una clínica o un salón de belleza, pero en realidad él fue quien escribió el libro de cómo hacerse un tratamiento de belleza total. Para Pablo, el correr era una faceta importante para ser transformados a la imagen de Cristo, y él nos dio algunas instrucciones específicas para correr bien. Él dijo: "Hermanos, yo mismo no considero haberlo ya alcanzado; [no soy perfecto espiritualmente. El tratamiento de belleza no ha terminado]. Pero una cosa hago: olvidando lo que queda atrás y extendiéndome a lo que está delante, prosigo hacia la meta para obtener el premio del supremo llamamiento de Dios en Cristo Jesús" (Filipenses 3:13, 14, La Biblia de las Américas).

Cuando Steven estaba en los últimos años de la escuela primaria y durante la secundaria corría con el equipo de campo traviesa en el otoño, y corría con el de pista en la primavera. Los espectadores animaban a los corredores conforme se acercaban a la línea de meta. Cuando se acercan a la parte final de la carrera, los corredores entrenados saben que nunca deben mirar atrás sino que deben mantener los ojos en la meta frente a ellos. A menudo escuchaba a los entrenadores

gritar: "¡No mires atrás! ¡No mires atrás!". Ellos sabían que los corredores que miraban atrás perdían un tiempo valioso.

En Hebreos 12:1 Pablo nos dice que tenemos a nuestro alrededor
una gran nube de testigos vitoreándonos para que corramos con
resistencia. Tengo la sospecha de que si pudiera correrse el velo celestial que separa lo que vemos y lo que no vemos, escucharíamos a
Moisés, a Elías y a los ángeles animándonos mientras corremos en la
carrera de la vida: "¡No mires atrás! ¡No mires atrás!".

En nuestra sociedad, la gente desperdicia valiosos y preciados
años mirando atrás, tratando de entender por qué son, cómo son y por
qué hacen lo que hacen. Sin embargo, Pablo nos exhorta a olvidar lo
que se quedó atrás. En el Antiguo Testamento hombres y mujeres de
fe miraron atrás, pero lo hicieron para agradecerle a Dios por su fidelidad, nunca para imputar culpas. El salmista dijo: "Me acordaré de las
obras del SEÑOR; ciertamente me acordaré de tus maravillas
antiguas. Meditaré en toda tu obra, y reflexionaré en tus hechos"
(Salmo 77:11, 12). Moisés les recordó a los israelitas: "Acuérdate de
todo el camino por donde te ha conducido el SEÑOR tu Dios estos
cuarenta años por el desierto, con el fin de humillarte y probarte, para
saber lo que estaba en tu corazón, y si guardarías sus mandamientos,
o no" (Deuteronomio 8:2). Una vez más él escribió: "Te acordarás de
que fuiste esclavo en la tierra de Egipto, y que el SEÑOR tu Dios te
rescató" (Deuteronomio 15:15).

En mis conferencias, a menudo doy mi testimonio. Sin embargo,
no miro atrás para echarle la culpa a alguien. Yo hablo de mi pasado
para brindarle la gloria a Dios al mostrar la increíble gracia de salvación de Jesucristo en mi vida y en la de mi familia.

Lamentablemente, muchas corredoras se tropiezan al mirar atrás.
Caen al polvo porque no están mirando hacia delante. Se arrastran por
el suelo y pierden años preciosos porque pasan demasiado tiempo
observando el lugar donde han estado en lugar de mirar a dónde van.
Si yo estuviera ahí, te daría ánimos: "¡Levántate! ¡No mires atrás!

¡Sigue corriendo hasta la meta! Mira a dónde vas, no en dónde has estado".

Pablo nos exhorta a dejar atrás el pasado y a concentrarnos en seguir adelante hacia la meta. Cuando él dice "olvidando lo que queda atrás", se refiere a olvidar continuamente y centrar inexorablemente sus energías e intereses en el camino hacia adelante. "Olvidar" no significaba borrar el pasado de su memoria, sino un rechazo conciente a permitirle absorber su atención e impedir su progreso.[2]

¿Qué era exactamente lo que Pablo tenía que olvidar? Él tenía que olvidar lo bueno, lo malo y lo feo.

Olvida lo bueno

Cuando trabajaba en el consultorio dental de mi esposo, mi gafete no tenía escrito mi apellido. Sólo decía "Sharon, RDH". Otros miembros del personal me hacían bromas por eso. Pero la razón por la que omití mi apellido era para evitar que los pacientes me trataran de forma diferente del resto del personal sólo por ser la esposa del doctor. Muchas veces mujeres y hombres con títulos universitarios, ricos o altivos me trataron con arrogancia como si yo fuera tan sólo una ayudante empleada (lo cuál era verdad). Siempre me divertía cuando uno de ellos me veía con mi esposo en algún evento social y avergonzado me decía: "¡Oh, no sabía que usted fuera la esposa del doctor Jaynes!".

Mi punto aquí es que eso no debió haberme importado. Soy hija de Dios y el resto, como mi campesina abuela decía, "ni siquiera llega a ser un puñado de frijoles".

Pablo era un hombre con un currículum vitae impresionante. Él fue: "circuncidado el octavo día, del linaje de Israel, de la tribu de Benjamín, hebreo de hebreos; en cuanto a la ley, fariseo; en cuanto al celo, perseguidor de la iglesia; en cuanto a la justicia de la ley, irreprensible" (Filipenses 3:5, 6). En otras palabras, Pablo era alguien. Él nació en una familia de la alta sociedad, estudió en el *Harvard* de

Jerusalén, y jamás desobedeció ni una sola regla. Estaba en la lista de "Quién es quién" entre los judíos; todo un hombre entre los hombres.

Y aún así él decidió que todos sus títulos del pasado eran una basura en comparación a su tesoro presente en Cristo. Él dijo:

> "Pero las cosas que para mí eran ganancia, las he considerado pérdida a causa de Cristo. Y aun más: Considero como pérdida todas las cosas, en comparación con lo incomparable que es conocer a Cristo Jesús mi Señor. Por su causa lo he perdido todo y lo tengo por *basura*, a fin de ganar a Cristo y ser hallado en él; sin pretender una justicia mía, derivada de la ley, sino la que es por la fe en Cristo, la justicia que proviene de Dios por la fe" (Filipenses 3:7-9, énfasis agregado).

Me encanta cómo la Biblia amplificada, en inglés, detalla el versículo 8:

> Sí, aun más, yo considero como pérdida todas las cosas, en comparación con la posesión del incomparable privilegio (la belleza abrumadora, el valor insuperable y la ventaja suprema) de conocer a Cristo Jesús mi Señor y progresivamente llegar a conocerle a mayor profundidad e íntimamente [percibirlo, reconocerlo y entenderlo completa y claramente]. Por su causa lo he perdido todo y todo lo considero ser simple basura (desperdicios, escoria), a fin que yo pueda ganar (lograr) a Cristo [el Ungido].

Dios nos está llamando a olvidar nuestros logros del pasado y a marchar hacia delante, hacia la meta de volvernos a la imagen de Cristo. William Barclay dijo: "Olvida lo que has hecho, y recuerda lo que tienes que hacer". El terreno está nivelado al pie de la cruz.

Olvida lo malo

En primer lugar, nos olvidamos de los títulos mundanos y de los logros estelares. En segundo lugar, nos olvidamos del mal que los otros nos han ocasionado: las crueldades, las injusticias, las palabras hirientes, la traición, la calumnia, el abandono, el abuso físico o mental, el rechazo. No podemos cambiar el pasado, pero a partir de este momento podemos pedirle a Dios que nos ayude a cambiar lo que hacemos con todo eso.

Recuerda que olvidar no significa borrar algo de la memoria. Eso es físicamente imposible a menos que tengamos una enfermedad como la amnesia o el Alzheimer. Dejar el pasado atrás involucra perdonar a quienes te han lastimado. Perdonar y olvidar significa dejar de usar la ofensa en contra del ofensor. Si el ofensor se merece o no el perdón, eso nada tiene que ver. La mayoría no se lo merece. Yo no merezco el perdón de Dios y, sin embargo, él me ha perdonado. Perdonar y olvidar es quitar a alguien de tu mira, ponerlo en la mira de Dios, y dejar el pasado atrás. Eso es un regalo que te das a ti misma.

La palabra griega para "perdón" es *aphiemi*, que significa "deshacerse del poder propio, de las posesiones, liberar o permitir escapar"[3]. "En esencia, la intención del perdón bíblico es liberar a alguien. La imagen gráfica del término griego para la falta de perdón es una donde la persona que no es perdonada se encuentra atada a la espalda de la otra persona quien no concede el perdón. ¡Qué irónico! La falta de perdón es el medio por el cual nos unimos con firmeza a aquello que tanto odiamos. Por lo tanto, el significado griego del perdón sería demostrado de mejor forma como la práctica de dejar ir a la persona que está amarrada a tu espalda"[4].

En su libro *What's so Amazing About Grace?* (Gracia divina vs. Condena humana), Philip Yancey dice: "Si no trascendemos la naturaleza, permanecemos unidos a las personas que no podemos perdonar, lo que nos lleva a quedar cautivos en su cárcel. Este principio es aplicable también cuando una de las partes es completamente inocente y la otra parte es completamente culpable, pues la parte inocente cargará con la herida hasta que él o ella pueda encontrar una manera para liberarla, y la única forma es el perdón"[5].

¿Qué o a quién tenía Pablo que perdonar? Vamos a ver. Él hace un recuento de las crueldades en 2 Corintios 11:23-27:

> "¿Son ministros de Cristo? (Hablo como delirando.) ¡Yo más! En trabajos arduos, más; en cárceles, más; en azotes, sin medida; en peligros de muerte, muchas veces. Cinco veces he recibido de los judíos cuarenta azotes menos uno; tres veces he sido flagelado con varas; una vez he sido apedreado; tres veces he padecido naufragio; una noche y un día he estado en lo profundo del mar. Muchas veces he estado en viajes a pie, en peligros de ríos, en peligros de asaltantes, en peligros de los de mi nación, en peligros de los gentiles, en peligros en la ciudad, en peligros en el desierto, en peligros en el mar, en peligros entre falsos hermanos; en trabajo arduo y fatiga, en muchos desvelos, en hambre y sed, en muchos ayunos, en frío y en desnudez".

Al leer estos versículos siempre me pregunto dónde y cuándo le sucedieron estas cosas a Pablo. Pero él hizo poca mención de las penurias y del maltrato. Lamentablemente, si yo hubiera sufrido tales tratos, ¡seguro que los mencionaría a menudo y escribiría un capítulo entero dedicado a cada episodio! Pero Pablo decidió no documentarlos ni hacer recuento alguno de ellos. Los dejó en el pasado y siguió adelante.

Pablo tenía una opción. Frente al maltrato, la injuria y la injusticia él pudo haber elegido amargarse y no perdonar a quienes lo trataron injustamente. Pero decidió perdonar a los que lo lastimaron y seguir su marcha liberado. Yo creo que una de las razones del éxito de Pablo en el ministerio fue por su buena voluntad para perdonar a aquellos que lo lastimaron.

¿Habías notado que algunas de las mujeres más hermosas, con un semblante lleno de paz, son aquellas que han vivido una vida muy trágica? Corrie ten Boom fue una de ellas. Corrie pasó varios años en un campo de concentración alemán donde a diario era humillada, degradada y abusada por los guardias nazis. Después de su liberación viajó por el mundo para hablar de la gracia y del perdón de Dios a través de Jesucristo. Un domingo por la mañana, después de hablar en Munich sobre cómo Dios echa nuestros pecados a lo más profundo del mar, ella vio a un hombre corpulento y calvo acercarse al podio.

En cuanto vio al hombre, lo recordó con el uniforme que solía usar en Ravensbruck. En un instante ella recordó la calavera de su visera, los patéticos montones de vestidos y zapatos en medio de un salón grande y frío, y la vergüenza al tener que caminar desnuda frente a este hombre. Él fue uno de los guardias más crueles en la prisión dónde murió su hermana Betsie. Corrie estaba frente a frente con uno de sus captores y parecía que la sangre se le congelaba.

El hombre se detuvo frente a ella y le extendió la mano. "¡Qué fino mensaje, *Fraulein*!", la saludó. "¡Qué bueno es saber, como usted lo dijo, que todos nuestros pecados están en lo más profundo del mar!". Ella titubeó y metió la mano en su bolso para evitar estrechar su mano.

Él le dijo que él había sido uno de los guardias en Ravensbruck pero que se había convertido a Cristo. Él sabía que Dios lo había perdonado, pero también quería el perdón de Corrie.

> Y ahí estaba yo de pie —yo, cuyos pecados debían ser perdonados una y otra vez— y no podía perdonar. Betsie había muerto en ese lugar. ¿Podía él borrar su muerte terrible y lenta con tan sólo pedir perdón?
>
> No fueron más que unos cuantos segundos los que él estuvo de pie ahí, con la mano extendida, pero a mí me parecieron horas mientras luchaba contra la cosa más

difícil que jamás había tenido que hacer; y yo lo sabía. El mensaje de que Dios perdona tiene una condición previa: que nosotros perdonemos a quienes nos han lastimado. "Si no perdonáis las ofensas de los hombres", dice Jesús, "tampoco vuestro Padre que está en los cielos perdonará vuestros pecados".

Yo lo sabía no solamente como uno de los mandamientos de Dios, sino también como una experiencia diaria. Pero yo seguía ahí de pie, con la frialdad apretando mi corazón. Pero perdonar no es una emoción, eso también lo sabía. Perdonar es una acción de la voluntad, y la voluntad puede funcionar sin importar la temperatura del corazón. "Jesús, ¡ayúdame!", oré en silencio. "Yo puedo extender mi mano. Eso es todo lo que yo puedo hacer. Provee tú el sentimiento".

Y entonces, inexpresiva y mecánicamente, tomé la mano que me había sido extendida. Y al hacerlo sucedió algo increíble. Una corriente empezó en mi hombro, bajó por mi brazo y saltó sobre nuestras manos unidas. Entonces ese calor curativo empezó a inundar todo mi ser y trajo lágrimas a mis ojos.

"¡Te perdono, hermano!" le dije llorando. "Con todo mi corazón"[6].

Yo pienso que Corrie ten Boom nunca se vio más hermosa que en aquel momento.

Olvida lo feo

Para poder correr bien, debemos olvidar lo bueno y lo malo. Pero

quizás lo más difícil sea olvidar lo feo; eso que se hizo *a través* de nosotras: los errores y pecados que hemos cometido.

Pablo era un hombre que tenía algunas cosas feas que olvidar.
Antes de que su nombre cambiara de Saulo a Pablo, él era conocido
por ser un asiduo perseguidor de la iglesia cristiana. "Entonces Saulo
asolaba a la iglesia. Entrando de casa en casa, arrastraba tanto a hombres como a mujeres y los entregaba a la cárcel" (Hechos 8:3). Él estuvo cuidando la ropa mientras una turba apedreaba a Esteban, el primer
mártir cristiano. El día en que Saulo se encontró con Jesús en el
camino a Damasco, él viajaba para ver al sumo sacerdote y pedirle cartas dirigidas a las sinagogas para que, si encontraba a alguno que
perteneciera a Cristo, él pudiera tomarlo prisionero y llevarlo a
Jerusalén. Puedes imaginarte la sorpresa que se llevó cuando aquél a
quien él perseguía abrió los cielos, derramó una luz enceguecedora y
pronunció su nombre (Hechos 9:1-3).

Después del encuentro con Jesús que alteró la vida de Saulo, su
nombre cambió a Pablo. Sin embargo, ese no fue el único cambio en
ese hombre: Él fue una nueva criatura.

Más tarde escribió: "De modo que si alguno está en Cristo, nueva
criatura es; las cosas viejas pasaron; he aquí todas son hechas
nuevas (2 Corintios 5:17). Pablo conoció mejor que nadie la alegría
de empezar de nuevo. Él se alegró por ya no ser el mismo hombre que
había sido antes de conocer a Jesús. Tuvo una transformación espiritual y él ya no vivía, sino que Cristo vivía en él (Gálatas 2:20).

¿Has hecho algo feo en tu vida que te cuesta trabajo olvidar?
¿Sabías que Dios elige no recordar esas cosas? En la Biblia, Dios nos
dice que él "olvida" nuestros pecados y ya no se acuerda más de ellos.
Pero, ¿cómo puede *olvidar* un Dios omnipotente y que todo lo sabe?

Hay muchos eventos en la Biblia que empiezan con las palabras
"Dios se acordó": "Dios se acordó de Noé" (Génesis 8:1); "se acordó
Dios de Abraham" (Génesis 19:29); "se acordó Dios de Raquel"
(Génesis 30:22); "Dios oyó el gemido de ellos y se acordó de su pacto

con Abraham, con Isaac y con Jacob" (Éxodo 2:24). En cada situación, cuando Dios se acordaba quería decir que él iba a hacer algo, que iba a actuar. Por tanto, si Dios *recuerda* quiere decir que va a actuar, pero si Dios *olvida* quiere decir que él *no* va a actuar. "Perdonaré su iniquidad y no me acordaré más de su pecado" (Jeremías 31:34). Él olvida nuestros pecados; *no* va a actuar de acuerdo a ellos.

Corrie ten Boom una vez dijo: "Dios lanza nuestros pecados a lo más profundo del océano, para siempre. Y, aunque no puedo encontrar un versículo para esto, yo creo que Dios va y pone un letrero allí que dice 'NO SE PERMITE PESCAR'"[7].

David escribió que Dios aleja nuestros pecados tan lejos como está el oriente del occidente (Salmo 103:12), y sin embargo nosotras nos subimos a nuestro submarino mental y los vamos a buscar al fondo del océano. Todos los días hablo con mujeres que no pueden perdonarse por sus fracasos del pasado. Bonita, quien tuvo tres abortos hace más de veinte años, dijo: "Yo sé que Dios ya me perdonó, pero yo no me puedo perdonar". Joan, quien tuvo una aventura extramatrimonial hace cinco años, dijo: "Yo sé que Dios me perdonó. Yo conozco su gracia, pero yo no me merezco su perdón. No puedo olvidarlo".

Estoy convencida de que dos de las armas más grandes que Satanás tiene en su arsenal para impedir que los cristianos avancen en su crecimiento y madurez espiritual son la vergüenza y la condenación. En el libro de Apocalipsis, a él se le llama el "acusador de nuestros hermanos", y eso es lo que hace. Pero la verdad que te liberará dice que Jesús aceptó el castigo por nuestros pecados y Dios nos ha declarado no culpables. Cuando Jesús dijo en la cruz del Calvario "¡Consumado es!", esas palabras significan "pagado en su totalidad". Nuestra deuda fue clavada sobre la cruz.

Una razón por la cual nos cuesta trabajo olvidar nuestros pecados del pasado es porque Satanás está ahí para recordárnoslos a diario. La maestra de Biblia Beth Moore dijo: "Él (Jesús) rompió las cadenas de todo tipo de esclavitud cuando dio su vida por nosotros en la cruz; sin embargo, muchas de nosotras seguimos cargándolas en las manos o las traemos colgando del cuello por puro hábito, o por falta de conciencia, o por falta de conocimiento bíblico"[8]. Necesitamos tirar esas cadenas de una vez por todas.

Es muy poco común encontrar el nombre de una mujer en las largas listas de genealogías de la Biblia. Sin embargo, en el linaje de Jesús documentado en Mateo 1, el autor menciona a cinco, de las cuales cuatro tenían pasados muy cuestionables. Si yo fuera a hacer una lista de algunas de las mujeres del árbol genealógico de Jesús, tal vez mencionaría a la señora de Noé, a la señora de Moisés o a la señora de Abraham. Pero Dios tenía otra idea, él escogió a Tamar, quien había tenido una relación de incesto con su suegro; Rahab, quien era una prostituta; Betsabé, quien tuvo una relación adúltera con el rey David que ocasionó un asesinato; y Rut, quien era una extranjera de un país pagano. ¿Por qué Dios escogió a tales mujeres? Yo creo que fue para mostrarnos que no hay pecado demasiado bajo, que no hay un lugar demasiado lejos que la gracia de Dios no pueda redimir y salvar. En la vida de cada una de estas mujeres, Dios las eligió, las perdonó y usó su vida para glorificarse. De igual forma, querida hermana, no hay nada en tu vida que Dios no pueda perdonar, redimir y utilizar para su gloria.

El salmo 139 nos asegura que Dios conoce cada uno de los días de nuestra vida desde antes de que existiera uno de ellos. Él sabía cada pecado que cometeríamos y cada mala decisión que tomaríamos. Sorprendentemente, aún así él nos escogió.

Todas cometemos errores, pero espero tener la misma actitud que tuvo Tomás Edison después del incendio que destruyó su laboratorio y el trabajo de toda su vida: "Sólo piénselo", dijo, "todos nuestros errores han sido destruidos por el fuego y tenemos otra oportunidad para empezar de nuevo".

La misericordia y la compasión de Dios son nuevas cada mañana

(Lamentaciones 3:22, 23). Dios olvida lo feo que hemos hecho en nuestra vida. Nosotras también tenemos que olvidarlo.

Corre con la meta en mente

En la película *Forrest Gump*, Forrest no podía hacer muchas cosas bien, pero él podía correr. Después de una serie de circunstancias devastadoras, Forrest decidió empezar a correr; a ningún lugar en particular, sólo correr.

"Un día decidí ir a correr por un rato", dijo. "Corrí hasta el final del camino y cuando llegué allí pensé: 'tal vez corra hasta donde termina la ciudad', y cuando llegué allí pensé: 'tal vez corra hasta donde termina el condado'. Como ya había corrido hasta allí, pensé que podía correr por todo el estado de Alabama. Sin una razón en particular, yo seguí corriendo. Corrí hasta el océano. Cuando llegué allí pensé: 'como ya he ido tan lejos, tal vez sea mejor dar la vuelta y seguir corriendo'. Cuando llegué hasta otro océano pensé: 'como ya llegué hasta aquí, tal vez sea mejor seguir corriendo'. Cuando me cansaba, dormía. Cuando tenía hambre, comía".

Después de un tiempo, otras personas se unieron a Forrest en su "prosecución". Un reportero corrió a su lado, le puso un micrófono en la cara y le preguntó:

—¿Por qué corre? ¿Por la paz mundial? ¿Por el medio ambiente? ¿Por los desamparados? ¿Por los derechos de la mujer? ¿Por los animales? ¿Por qué está haciendo esto?

—No lo sé —contestó Forrest—. Sólo me dieron ganas de correr.

Forrest no tenía meta alguna. No tenía dirección. No tenía un propósito. Sin embargo, otras personas empezaron a seguirlo y a correr junto a él. Después, de repente, después de más de tres años de correr, se detuvo. "Estoy muy cansado. Creo que me voy a casa". Aquellos que estaban corriendo con él se miraron unos a otros y se preguntaron: "¿Qué se supone que hagamos ahora?".

Muchos hoy en día están corriendo esa misma carrera. Corren, pero no saben hacia dónde. Se esfuerzan, pero no saben el porqué. Entonces, un día, se cansan y se detienen. Ojalá nunca sea así para el cristiano. Nosotras conocemos la meta y nos esforzamos para ganar el premio —el tratamiento de belleza total— de ser transformadas a imagen de Cristo.

Regresemos a las instrucciones de nuestro entrenador personal: "Hermanos, yo mismo no pretendo haberlo ya alcanzado. Pero una cosa hago: olvidando lo que queda atrás y extendiéndome a lo que está por delante, *prosigo a la meta* hacia el premio del supremo llamamiento de Dios en Cristo Jesús" (Filipenses 3:13, 14, énfasis agregado). Pablo nos recuerda que prosigamos hacia la meta, a pesar de todo.

En otro pasaje, él nos lanza un reto:

> ¿No sabéis que los que corren en el estadio, todos a la verdad corren, pero sólo uno lleva el premio? Corred de tal manera que lo obtengáis. Y todo aquel que lucha se disciplina en todo. Ellos lo hacen para recibir una corona corruptible; nosotros, en cambio, para una incorruptible. Por eso yo corro así, no como a la ventura; peleo así, no como quien golpea al aire. Más bien, pongo mi cuerpo bajo disciplina y lo hago obedecer; no sea que, después de haber predicado a otros, yo mismo venga a ser descalificado (1 Corintios 9:24-27).

Cristóbal Colón fue un hombre que entendió el poder de la perseverancia. En su viaje a través del océano Atlántico, navegó día tras día sin ver tierra. Su tripulación amenazó con amotinarse y en muchas ocasiones le suplicaron que regresaran. Pero Colón prosiguió, y todos los días él escribía una palabra en su bitácora: "Navegamos". Tal vez habrá días en tu vida en los que lo único que escribirás sea esa misma palabra: "Navegué". Tal vez habrá días en los que te sentirás con ganas de darte por vencida porque la monótona repetición de la vida diaria te amenaza con arrullarte hacia la complacencia, o las tormentas de la vida amenazan con hundir tu barco. Ánimo, amiga mía, Dios está en el timón. Prosigue.

Otro ejemplo increíble de proseguir hacia la meta se vio en una carrera de maratón en las Olimpiadas. La multitud esperaba que aparecieran los últimos corredores. Varias horas después de la llegada del corredor que iba delante de él, el último maratonista finalmente entró al estadio olímpico. Para esa hora ya casi había terminado todo el drama de los eventos del día, y la mayoría de los espectadores ya se habían retirado. Sin embargo, la historia de este atleta continuaba.

Cojeando hacia adentro del estadio, el corredor tanzano hacía muecas con cada paso que daba, su rodilla estaba vendada y sangrando por una caída que sufrió al principio. Su apariencia harapienta atrapó de inmediato la atención del público remanente, quién lo animó a llegar a la meta.

¿Por qué continuó en la carrera? ¿Qué le hizo resistir sus heridas hasta el final? Cuando más tarde le hicieron estas preguntas, él respondió: "Mi país no me envió a más de 11.000 kilómetros de distancia para empezar una carrera. Me enviaron a más de 11.000 kilómetros de distancia para terminarla"[9].

Querida amiga, Dios no te eligió para que solamente empieces la carrera. Él te escogió para que la termines, y que la termines bien. Tal vez tienes las rodillas raspadas y los codos lastimados de tantas caídas, pero de igual forma habrá una nube de testigos ovacionándote cuando cruces la línea de meta y recibas tu corona de gloria.

¿Cuál es el programa de ejercicios total para el tratamiento de belleza total? Olvidar lo que está atrás, marchar hacia lo que está adelante y, ¡proseguir hacia la meta para lograr el premio del supremo llamamiento en Cristo Jesús! Al igual que el director de la película *Ben Hur* le aseguró al actor Charlton Heston durante la filmación de la carrera de carruajes: "Tú sólo mantente en la carrera y yo me encargaré de que ganes". Tú sólo mantente en la carrera y Dios se encargará de que ganes. ¡Nos vemos en la meta!

Un régimen para perder peso
Deja el
pasado atrás

No tengo duda alguna de que seguramente dejé a muchas de ustedes caídas en el camino mientras corríamos por el sendero de dejar
atrás el pasado. Suena como una idea encantadora, pero ¿cómo empezamos a dar al Señor toda esa carga que hemos llevado atada a nuestras
espaldas durante tantos años? Querida hermana, yo sé que no es fácil;
no ha sido fácil para mí. Pero tienes que creerme cuando te digo que
el amor de Dios y tu belleza interna nunca brillarán al exterior si el
pasado es una nube oscura que bloquea tal resplandor. Debido a que
yo comprendo lo difícil que es dejar el pasado atrás, vamos a pasar un
poco más de tiempo examinando ese proceso. Antes de empezar a
correr, tenemos que empezar a gatear como un bebé, y después aprender a caminar.

Regresemos por un momento a la pista de carreras. Imagina a 20
jóvenes alineados para competir en una carrera. Se acercan a la marca
de largada y se ponen en sus posiciones. El oficial grita: "En sus marcas", y los muchachos colocan su pie derecho sobre la línea pintada de
blanco. Después dice: "Listos", y los muchachos se agachan y se atan
a la espalda un paquete que pesa más de 13 kilos. Algunos hasta ayu-

dan a otros para que quede bien asegurado. Finalmente, el oficial dispara su pistola y grita: "¡Fuera!", y los corredores luchan por correr en sus carriles, sintiendo el peso de sus cargas tan pesadas.

Tan tonto como te pueda parecer esto, así es como yo veo a muchas mujeres correr la gran carrera de la vida. Nos levantamos por la mañana, nos lavamos la cara, y después nos colocamos cargas pesadas antes de siquiera empezar el día. Jesús define a los creyentes como ovejas, y las ovejas no son animales de carga. Su propósito nunca ha sido el de cargar peso, y mucho menos el de correr con él encima.

En contraste con el escenario anterior, cuando el equipo de carrera a campo traviesa de mi hijo se preparaba para empezar una carrera, todos los corredores se quitaban los pantalones de entrenamiento, se ponían las camisetas del equipo y también se ponían su calzado deportivo que no pesa casi nada. Como los uniformes para correr son tan pegados al cuerpo, los muchachos se sentían avergonzados y no querían que los vieran sino hasta el último minuto, casi antes de que sonara el silbato. Pero el deseo de ganar sobrepasaba su recato, y ellos comprendían una de las lecciones más grandes de Pablo para correr bien: correr libre de trabas. Si nosotras no estamos corriendo bien, tal vez necesitemos quitarnos el peso adicional que hemos estado cargando.

Pablo nos enseña: "Despojémonos de todo peso y del pecado que tan fácilmente nos enreda, y corramos con perseverancia la carrera que tenemos por delante" (Hebreos 12:1).

David dijo: "Echa tu carga sobre el SEÑOR, y él te sostendrá. Jamás dejará caído al justo" (Salmo 55:22). Echar no significa andar despacito y depositar suavemente la carga en el suelo. Echar significa deshacerse de algo, lanzarlo con fuerza.

La carga más común que veo entre la gente de Dios hoy en día es su pasado doloroso. Bueno, veamos cómo quitarnos el pasado, hacerlo a un lado y dejarlo atrás.

Encuentra el tesoro escondido

Hace muchos años fui la chaperona de un grupo de niños de cuarto grado en un viaje escolar a la mina de oro *Reed*. El guía nos llevó a través de túneles oscuros y mohosos, y nos explicó que cien años atrás los mineros buscaban vetas de oro metidas dentro de las rocas y escondidas debajo de las paredes empapadas por el agua. Muchas personas iban al arroyo de agua helada que bajaba de la montaña con una batea y con la esperanza de encontrar algunas pepitas de valor. Después del tour cada uno de nosotros tomamos una criba y probamos suerte.

Primero colocamos nuestras bateas dentro del lodo del lecho del arroyo y llenamos nuestras cribas. Después sacudimos las bateas de un lado al otro para que el agua cristalina fluyera sobre su contenido. El sedimento y el lodo se filtraron a través de la pantalla y regresaron al arroyo; algunos niños esperanzados (y uno que otro adulto) buscaban oro. Desafortunadamente, ninguno de nosotros se volvió rico ese día, pero yo salí de ahí con una valiosa lección.

El primer paso para dejar atrás el pasado es encontrar el tesoro escondido en cada situación enlodada. Al igual que hicimos con el oro, nosotras necesitamos cernir el lodo y el sedimento de nuestro pasado, permitir que la palabra de Dios lave nuestros recuerdos, y descubrir el oro escondido debajo de la superficie.

Uno de los tesoros más valiosos que resultan de las circunstancias difíciles de la vida es el regalo de poder utilizar tu experiencia de esa situación difícil para ayudar a otras personas. Pablo dice que Dios "nos consuela en todas nuestras tribulaciones. De esta manera, con la consolación con que nosotros mismos somos consolados por Dios, también nosotros podemos consolar a los que están en cualquier tribulación" (2 Corintios 1:4). En otras palabras, Dios no nos consuela sólo para hacernos sentir confortadas, sino que nos consuela para hacernos capaces de consolar a otras personas.

Nuestras pruebas y victorias nos dan una capacidad sobrenatural para sentir empatía por alguien que está pasando por una situación similar. Nadie puede ayudar a una mujer que sufre por la culpa que siente después de un aborto en su pasado, como la mujer que ha recibido perdón y que ha sanado del mismo error del pasado. Nadie puede aplicar el ungüento del entendimiento sobre las heridas que dejó un esposo o novio abusivo, mejor que una mujer que tiene las mismas cicatrices. Nadie puede limpiar las lágrimas de una madre que observa a su hijo adolescente desobediente tomar malas decisiones, mejor que una madre que le ha dado la bienvenida al hijo pródigo que regresa a casa. Nadie puede ministrar a una mujer que se siente como mercancía dañada a causa del abuso sexual durante su niñez, más que aquella mujer que también sufrió abusos pero que ahora se ve santa y como una hija pura del Rey.

Yo veo la victoria sobre las dificultades como un tesoro valiosísimo que Dios nos ha confiado para que lo invirtamos en la vida de otras personas. En la parábola de los talentos, el dueño de una tierra se fue de viaje. Antes de salir llamó a tres de sus siervos y a cada uno le entregó unos talentos (o piezas de dinero). El sirviente a quien entregó cinco talentos, los invirtió y le devolvió diez al dueño. El sirviente a quien entregó dos talentos, los invirtió y le devolvió cuatro al dueño a su regreso. Pero el sirviente que había recibido un talento, lo enterró en la tierra a causa de su miedo. Su señor estaba muy descontento, y le quitó el talento y se lo dio al siervo que había invertido con sabiduría (Mateo 25:14-28).

La victoria sobre las dificultades es un tesoro; un talento. Job dijo: "Cuando él me haya probado, saldré como oro" (Job 23:10). Dios se deleita cuando invirtamos ese "oro" en la vida de alguien más, pero se siente decepcionado cuando lo escondemos a causa de nuestros temores. Satanás, por el contrario, se regocija cuando escondemos nuestras experiencias difíciles. Pero se encoge derrotado cuando tomamos el mal que nos preparó y lo usamos para bien.

El oro de un hermano

En el libro de Génesis, José siempre parecía hallar el tesoro escondido en las circunstancias difíciles. José era el hijo favorito de Jacob. Los hermanos celosos de José nunca le dijeron una palabra cariñosa y se burlaron de sus sueños proféticos. Cuando cumplió 17 años, ellos lo arrojaron a un pozo, lo vendieron como esclavo, y le dijeron a su padre que un animal feroz lo había matado. Potifar, un alto oficial del faraón, compró a José para que trabajara en su casa. Mientras estuvo ahí, José fue acusado falsamente de haber abusado sexualmente de la esposa de Potifar y fue enviado a la cárcel. Durante el tiempo que estuvo en prisión, él interpretó sueños y ministró a los prisioneros.

La noticia del don de interpretación de sueños que tenía José llegó hasta a los oídos del faraón. José fue llevado ante él para interpretar uno de sus sueños y predijo una hambruna. El faraón se enamoró tanto de la sabiduría de José que lo nombró gobernador, segundo al mando después del faraón mismo. José fue usado para salvar a toda la nación de Egipto y también a los países de los alrededores.

Durante la hambruna, los hermanos de José fueron a Egipto en busca de alimento. Sintieron terror cuando el gobernador les reveló que él era su hermano perdido. Pero en lugar de ordenar que los ejecutaran, José los perdonó y encontró el tesoro en aquella situación. Cuando él reveló su verdadera identidad a sus hermanos, les dijo: "Acercaos ahora a mí. Y ellos se acercaron, y él dijo: Yo soy vuestro hermano José, a quien vosotros vendisteis a Egipto. Ahora pues, no os entristezcáis ni os pese por haberme vendido aquí; pues para preservar vidas me envió Dios delante de vosotros... Vosotros pensasteis hacerme mal, pero Dios lo tornó en bien para que sucediera como vemos hoy, y se preservara la vida de mucha gente" (Génesis 45:4, 5; 50:20, La Biblia de las Américas). Cuando nació el primer hijo de José, lo llamó Manasés, que significa "uno que causa el perdón". Pero cuando su segundo hijo nació, él lo llamó Efraín, "Dios me hizo fructificar en la tierra de mi aflicción". No bastaba tan sólo con olvidar el pasado. José encontró el oro y, además, fructificó.

Cuando dejas el pasado atrás, el descubrir el tesoro puede calmar una herida mejor que cualquier ungüento. El tesoro puede ser el incremento de conocimiento sobre el carácter de Dios, o el aumento de conciencia de sus obras en tu vida. Puede ser también que se intensifique alguna cualidad característica de tu persona, o que tengas un crecimiento espiritual que únicamente podría ocurrir en el laboratorio de la vida. El tesoro puede ser tal vez una mayor sensibilidad hacia las dificultades de los demás. Al igual que la mayoría de los tesoros, tal vez tengas que excavar montones de tierra antes de descubrirlo, pero su valor eterno hace que el esfuerzo valga la pena.

Un solo hijo

Te quiero compartir una de mis pepitas de oro. Como recordarás, mi esposo y yo luchamos muchos años contra la infertilidad después del nacimiento de nuestro primer hijo. También perdimos a una hija en un embarazo que no prosperó. A mí me encantaba ser madre y mi corazón se dolió mucho al pensar que no iba a tener una familia numerosa. Comprendí entonces el significado de lo que una persona dijo una vez: "Nunca antes me imaginé que se podía extrañar a alguien a quien jamás conocí".

Una noche, estaba de pie a la puerta de la habitación de mi hijo —que ya tenía 17 años— que estaba durmiendo. Él medía 1,83 m de alto y tenía una de sus piernas velludas colgando de la cama. Necesitaba rasurarse la barba y su melena parecía un estropajo. *Señor* —oré en silencio—. *Amo mucho a este muchacho. ¿Por qué no tuve más hijos? ¿Me puedes dar una pepita de oro hoy? Necesito una pepita de oro.*

Suavemente las palabras de Juan 3:16 inundaron todo mi ser: "Porque de tal manera amó Dios al mundo, que ha dado a su Hijo unigénito, para que todo aquel que en él cree no se pierda, mas tenga vida eterna". En voz baja repetí esas palabras y miré a mi hijo. Las palabras "Hijo unigénito" resonaron en el fondo de mi espíritu. Había descubierto el tesoro.

Yo tenía un hijo unigénito, y de repente tuve un vistazo del amor inmensurable de Dios por mí. Entonces pensé que hay muchas personas a quienes quiero mucho, pero no hay nadie por quien yo sacrificaría a mi hijo unigénito. Y aún así, Dios entregó a su único Hijo por mí. Si no hubiera otra razón, hoy yo le agradezco a Dios el haberme permitido entender la magnitud de su sacrificio y el incomprensible amor que me tiene al haber entregado a su Hijo unigénito. Steven era un recordatorio visual frente a mí del amor de Dios. Así fue como encontré el oro.

La rosa de Sharon

De nuestra experiencia con la infertilidad se forjaron otras pepitas de oro. Descubrí una al leer Cantares 2:1. Mientras leía las palabras que el novio le dice a la novia —las cuales leí como si Jesús me estuviera hablando a mí, a su prometida— las palabras "Yo soy la rosa de Sarón" ("Sharon" en inglés, nota de la editora) saltaron de esa página. Sentí que Dios le hablaba a mi espíritu:

—¿Cómo te llamas?

—Me llamo Sharon, Señor.

—Búscalo.

Saqué un diccionario de la Biblia para buscar la palabra "Sarón". Mi nombre significa "valle fértil en la tierra Santa". Entonces la pepita de oro salió a la superficie.

Mi historial médico contiene la palabra "infértil", pero mi nombre —el cual creo lo ordenó Dios— significa "valle fértil". La vida tal vez no resultó de la manera en que yo la había pensado, es decir con una casa llena de niños por cuyas venas corriera mi sangre. Sin embargo, Dios sí hizo mi sueño realidad, pues gracias al ministerio que tengo, a los libros, a las conferencias y a la radio, ¡puedo tener hijos espirituales en todo el planeta! Mi libro *Sueños de Mujer* nació de esa lucha y de ese momento extraordinario con Dios. Pablo escribió: "Cosas que ojo no vio ni oído oyó, que ni han surgido en el corazón del hombre, son las que Dios ha preparado para los que le aman" (1 Corintios 2:9). Cuando entregamos nuestros sueños rotos a Dios, él los convierte en un hermoso mosaico que es más hermoso que cualquier otra cosa que hubiéramos podido imaginar.

Un fuego purificante

Dios usa las dificultades y las adversidades para conformarnos a la imagen de Cristo, para darle forma a nuestro carácter o para quitar impurezas. Cuando mi esposo estudiaba en la facultad de odontología aprendió a fundir oro para hacer coronas para dientes. Él calentaba el metal y quitaba la escoria que surgía a la superficie. Le pregunté:

—Steve, ¿qué es la escoria?

Él, muy profesionalmente, explicó:

—Son las cosas feas que hacen impuro al oro.

"Cosas feas". Me gustó su explicación. Dios quita las "cosas feas".

Cuando un orfebre funde una pepita de oro, los desechos o las impurezas suben a la superficie. Al quitar las impurezas de la superficie, el oro toma un brillo lustroso. El orfebre sabe que casi está por completar el proceso una vez que puede ver su propio reflejo en el líquido. El lustre es el resultado de la luz reflejada por la superficie pura; eso es lo que lo hace hermoso. Satanás quiere seguir revolviendo las impurezas, pero Dios quiere eliminarlas de la superficie.

Job fue un hombre que pasó por un aguacero de adversidad. Él sufrió la perdida de sus hijos, de su ganado (su subsistencia) y de su salud. En Job 23:10, él afirmó: "Sin embargo, él [Dios] conoce el camino en que ando; cuando él me haya probado, saldré como oro". Job sabía que el producto final de sus dificultades sería "oro".

Dios permite dificultades en nuestra vida y las usa para eliminar los desechos que bloquean el reflejo de su carácter en nuestra vida. Rara vez los cambios son algo cómodo. Algunas veces, Dios tiene que aumentar mucho la temperatura, pero el producto final puede ser oro puro al 100%.

"Y nosotros no tenemos ningún velo que nos cubra la cara. Somos como un espejo que refleja la grandeza del Señor, quien cambia nuestra vida. Gracias a la acción de su Espíritu en nosotros, cada vez nos parecemos más a él (2 Corintios 3:18, Biblia en Lenguaje Sencillo).

Como decía mi abuela del campo: "Te estás poniendo más y más mona todo el tiempo".

Perdona a los que te lastimaron

C. S. Lewis dijo: "Todos dicen que el perdón es una linda idea hasta que ellos tienen algo que perdonar"[1]. Quizás la faceta más difícil de olvidar el pasado es perdonar a los que te han lastimado. Pero el perdón nada tiene que ver con lo que te hicieron sino con lo que tú haces.

La falta de perdón es una red y una trampa. Te atrapará al igual que una araña atrapa una mosca en su red, y te exprimirá hasta la última gota de vida de tu alma. Pablo nos advierte sobre esta trampa: "Al que vosotros habréis perdonado algo, yo también. Porque lo que he perdonado, si algo he perdonado, por vuestra causa lo he hecho en presencia de Cristo; para que no seamos engañados por Satanás, pues no ignoramos sus propósitos" (2 Corintios 2:10, 11). La Biblia de las Américas dice: "pues no ignoramos sus ardides". Él nos advierte que la falta de perdón causa que brote una raíz de amargura (Hebreos 12:15). Henry y Richard Blackaby lo explican muy bien:

> "La amargura tiene una manera muy tenaz de echar raíz profunda dentro del alma y resiste todos los esfuerzos para ser arrancada... El tiempo, en vez de disminuir la herida, sólo parece afilar el dolor... Te encuentras reviviendo la ofensa una y otra vez, y cada vez que lo haces la raíz de la amargura se hace más profunda en tu alma... La

amargura es fácil de justificar. Te puedes acostumbrar tanto a tener un corazón amargo que hasta puedes llegar a acostumbrarte a él, pero te destruirá. Sólo Dios comprende totalmente su poder destructivo"[2].

Malcolm Smith presenta esta analogía:

"Hallamos cierto encanto perverso en lamernos las viejas heridas. Regresamos a las heridas una y otra vez, reviviéndolas en una película que proyectamos en el cine de nuestra mente… una película en la cual somos las estrellas. Nos vemos abusados, injuriados; ¡pero, oh, muy en lo correcto! Cada vez que proyectamos esta película en nuestra imaginación, sufrimos nuevamente lo que cada persona dijo o no dijo, lo que nos hizo y cómo nos lo hizo. Nos aferramos a nuestros recuerdos porque en nuestra negra mente creemos que, si olvidamos, ¡quien nos hirió tal vez se vaya libre!… La amargura surge de creer que la persona quien nos hirió nos debe y de alguna forma tiene que pagárnosla"[3].

Es increíble que muchas veces la persona contra quien estamos enojados ni siquiera lo sabe o no le importan nuestros sentimientos. En última instancia, la única persona afectada es la que rehúsa a perdonar. En esencia, cuando no perdonamos es como si tratáramos de castigar a la persona golpeándonos la cabeza contra la pared y diciendo: "¡Toma esto!". Como ya lo dije antes, quizás la persona no se merezca ser perdonada; quizás tú no quieras dejar ir al ofensor. Ninguno de nosotros merece ser perdonado, pero mira cómo Dios nos perdonó a ti y a mí. Si nos dieran lo que merecemos, todos estaríamos sentenciados al infierno por toda la eternidad, pero Dios nos concedió su gracia (recibir lo que no merecemos) y su misericordia (no recibir lo que sí merecemos).

Cuando liberamos a alguien de nuestro puño y lo colocamos en las manos de Dios, quedaremos libres. Eso no quiere decir que lo que hizo aquella persona estuvo bien; lo que sí significa es que tú ya no vas a permitir que ese recuerdo te tenga cautiva. Significa que tú ya no vas a seguir usando el pecado de esa persona en su contra.

¿Cuánto debemos perdonar? ¿Cuántas veces? ¿Hay alguna ofensa que no merezca perdón?

En Mateo 18:21-25, Pedro le preguntó a Jesús: "Señor, ¿cuántas veces pecará mi hermano contra mí que yo haya de perdonarlo? ¿Hasta siete veces?

Jesús le dijo: No te digo hasta siete veces, sino hasta setenta veces siete" (La Biblia de las Américas).

Algunas veces pienso que las ideas de Pedro me gustan más: siete faltas y quedas fuera, amigo. Pero Jesús nos está diciendo en esencia que no le pongamos límite al perdón. Él nos da una historia para entender mejor ese punto:

> Por esto, el reino de los cielos es semejante a un hombre rey, que quiso hacer cuentas con sus siervos. Y cuando él comenzó a hacer cuentas, le fue traído uno que le debía diez mil talentos. Puesto que él no podía pagar, su señor mandó venderlo a él, junto con su mujer, sus hijos y todo lo que tenía, y que se le pagara. Entonces el siervo cayó y se postró delante de él diciendo: "Ten paciencia conmigo, y yo te lo pagaré todo." El señor de aquel siervo, movido a compasión, le soltó y le perdonó la deuda.
>
> Pero al salir, aquel siervo halló a uno de sus consiervos que le debía cien denarios, y asiéndose de él, le ahogaba diciendo: "Paga lo que debes." Entonces su consiervo, cayendo, le rogaba diciendo: "¡Ten paciencia conmigo, y yo te pagaré!" Pero él no quiso, sino que fue y lo echó en la cárcel hasta que le pagara lo que le debía.

Así que, cuando sus consiervos vieron lo que había sucedido, se entristecieron mucho; y fueron y declararon a su señor todo lo que había sucedido. Entonces su señor le llamó y le dijo: "¡Siervo malvado! Toda aquella deuda te perdoné, porque me rogaste. ¿No debías tú también tener misericordia de tu consiervo, así como también yo tuve misericordia de ti?". Y su señor, enojado, le entregó a los verdugos hasta que le pagara todo lo que le debía. Así también hará con vosotros mi Padre celestial, si no perdonáis de corazón cada uno a su hermano (Mateo 18:23-35).

Al primer sirviente se le perdonó una deuda que, tomando los estándares de hoy en día, habría llegado a ser de millones de dólares y, sin embargo, él no quiso perdonar una deuda que sería el equivalente de unos cuantos billetes. Yo soy la sierva malvada. Dios es el rey. Él me ha perdonado tanto; ¿cómo puedo yo ser capaz de no perdonar a otras personas?

El perdón de Dios debería hacer brotar tal amor en nosotras que nos hiciera anhelar perdonar a quienes nos ofendieron. En Lucas 7:36-50, una prostituta vino a Jesús mientras él estaba cenando con un fariseo. Ella lloró, lavó los pies de Jesús con sus lágrimas, los secó con su cabello y lo ungió con perfume. Estaba rendida ante el amor y el perdón de Cristo. Cuando los fariseos cuestionaron las acciones de ella, Jesús les recordó que "al que se le perdona poco, poco ama" (versículo 47). A ella se le había perdonado mucho y como resultado, ella amó mucho.

Regresemos con nuestro amigo José. Chuck Swindoll dice: "José abre un nuevo camino a través de la jungla del maltrato, las falsas acusaciones, el castigo inmerecido y un enorme malentendido. Él ejemplifica el perdón, la libertad de la amargura, y una actitud increíble ante aquellos que lo han lastimado. Él perdonó a aquellos que lo lastimaron y se aseguró de que la amargura nunca echara raíces"[4].

¿Hay falta de perdón en tu corazón? ¿Te acuerdas de la imagen de los jóvenes preparándose para la carrera y poniéndose cargas pesadas sobre la espalda? ¿Recuerdas el cuadro que nos dibujó la Biblia donde dice que la falta de perdón es como tener a alguien atado a tu espalda, atando lo que más odias a tu propio ser? ¿Hay alguien atado a tu espalda? Lo más seguro es que algunas de nosotras tenemos una cantidad enorme de personas amarradas a nuestras espaldas. No hay duda de por qué la "gran carrera de la vida" nos parece agotadora y pesada. Dios nunca tuvo la intención de que corriéramos con tal carga.

Si tienes a alguien atado a tu espalda, absolutamente nada de este libro, ni ningún tratamiento de belleza espiritual podrá borrar los efectos opresivos de la falta de perdón en tu alma. Mientras escribo, cada vez que tecleo la palabra *imperdonar*, el corrector automático la subraya con rojo para indicarme que esa palabra no existe. Eso es lo que Satanás nos hace creer. Si por él fuera, nos haría creer que *imperdonar* no es una palabra y que el *imperdonar* no es un problema real. Créeme; el imperdonar es real, y si lo dejas sin atender puede destruir tu vida.

Quizás no estés segura de que hay falta de perdón en tu corazón. Quizás la falta de perdón ha estado ahí por tanto tiempo que ya se siente como en su casa, como si perteneciera ahí. "No podemos sacarnos cadenas que ni siquiera sabemos que traemos puestas"⁵. Haz un alto y ora el Salmo 139:23, 24: "Examíname, oh Dios, y conoce mi corazón; pruébame y conoce mis pensamientos. Ve si hay en mí camino de perversidad y guíame por el camino eterno". Déjame decirte cómo esa oración cambió mi vida.

Dejando ir a papá

Después de mi segundo año en la universidad, decidí tomarme un descanso y trabajar por un año más o menos. Cuando pasó el año sentí que Dios me estaba llamando a regresar a la universidad, pero parecía como si una fuerza invisible me estuviera deteniendo. Mis planes no salían como yo lo quería, estaba confundida acerca de a dónde ir, y no podía ver con claridad la guía o la paz del Señor. No tomar una decisión es tomar una decisión, así que me quedé otro año en mi trabajo.

Cuando llegó la segunda primavera, resurgió mi deseo de regresar a la universidad. También resurgió la confusión sobre qué hacer y a dónde ir. Al mismo tiempo, empecé a revivir escenas de recuerdos que ya había olvidado de mi niñez.

Fui a visitar al señor Thorp, un hombre que había sido mi mentor espiritual en mi adolescencia. Le conté sobre mi confusión respecto a la universidad, y sobre los recuerdos. El señor Thorp decidió que debíamos leer algunos pasajes bíblicos referentes a la oración antes de orar juntos para pedir la guía de Dios.

Primero leímos Mateo 6:8-15:

> Pero tú, cuando ores, entra en tu habitación, cierra la puerta y ora a tu Padre que está en secreto; y tu Padre que ve en secreto te recompensará. Y al orar, no uséis vanas repeticiones, como los gentiles, que piensan que serán oídos por su palabrería. Por tanto, no os hagáis semejantes a ellos, porque vuestro Padre sabe de qué cosas tenéis necesidad antes que vosotros le pidáis. Vosotros, pues, orad así: Padre nuestro que estás en los cielos: Santificado sea tu nombre, venga tu reino, sea hecha tu voluntad, como en el cielo así también en la tierra. El pan nuestro de cada día, dánoslo hoy. Perdónanos nuestras deudas, como también nosotros perdonamos a nuestros deudores. Y no nos metas en tentación, mas líbranos del mal. [Porque tuyo es el reino, el poder y la gloria por todos los siglos. Amén]. Porque si perdonáis a los hombres sus ofensas, vuestro Padre celestial también os perdonará a vosotros. Pero si no perdonáis a los hombres, tampoco vuestro Padre os perdonará vuestras ofensas.

Después leímos Mateo 18:19-22 y leímos la pregunta de Pedro y la respuesta de Jesús sobre el número de veces que debemos perdonar. De hecho, cada vez que el señor Thorp abría su Biblia en algún pasaje que hablara sobre la respuesta de Dios a nuestras oraciones, antes o después había uno sobre el perdón.

"Sharon", me dijo, "yo siento que Dios te está diciendo que no has perdonado a tu padre. ¿Es verdad eso?".

Yo quise decir: "¡Un momento! Yo vine aquí a pedir una oración para mi futuro, no sobre mi pasado". Pero Dios me estaba mostrando que la falta de perdón en mi pasado estaba bloqueando su obra en mi futuro.

En ese entonces yo había sido cristiana por siete años. Mi padre había aceptado a Cristo hacía solamente un año. Yo no me había dado cuenta de que no lo había perdonado por el dolor que causó en mi niñez. Cuando él cometía un error, resurgían todos aquellos viejos sentimientos que yo tenía contra él. Yo sabía que Dios me estaba diciendo que, para que mi vida avanzara hacia el futuro, tenía que perdonar el pasado.

Esa noche perdoné a mi padre por todo lo que había hecho. Cuando lo hice, Dios me liberó y mi vida avanzó hacia un nivel nuevo y más profundo con él. Curiosamente, al día siguiente desapareció la nube de confusión. Solicité ingresar a la universidad a finales de la primavera, a pesar de que el director del departamento me dijo que ya era demasiado tarde y que ya no había vacantes para el programa en el que quería matricularme.

Me dijeron que la única posibilidad de que yo ingresara era si alguien se retiraba, lo cual era muy poco usual. Confiada de que ese era el plan de Dios para mí, renuncié a mi trabajo y busqué un departamento cerca de la universidad. Diez días antes del comienzo de las clases, me llamó el director del departamento y me dijo: "Esto no sucede a menudo pero alguien acaba de retirarse. Nos gustaría que viniera a estudiar en este otoño si puede hacer los arreglos necesarios".

Yo sí lo podía creer, y los arreglos ya estaban hechos. Me matriculé en el otoño y conocí a Steve cuatro semanas después. Nueve meses después, me convertí en su esposa.

No estoy diciendo que cuando perdonas te vas a hacer rica o vas a encontrar al hombre de tus sueños o vas a vivir feliz para siempre. Sin embargo, yo sí creo que la falta de perdón puede bloquear el poder de Dios en nuestra vida y causar que perdamos un sin fin de bendiciones.

Yo estuve en esclavitud durante muchos años por no perdonar. Escúchame bien. Era esclavitud. Yo estaba prisionera. Pero, como dice Beth Moore: "nunca supe que estaba en esclavitud hasta que Jesús empezó a liberarme"[6].

El doctor Neil Anderson, durante sus sesiones de consejería, les pide a sus pacientes que hagan una lista con los nombres de las personas que los han ofendido. El noventa y seis por ciento escriben padre y madre en el número uno y dos respectivamente[7]. Yo no me había dado cuenta de lo fácil que es como padre quedar en esa posición hasta que tuve un hijo. Sí, mis padres cometieron errores, y yo, como madre de Steven, también he cometido errores. Cuando Steven sea padre también cometerá errores. Pero no se trata de los errores sino de lo que decidimos hacer con esos errores. El único padre perfecto es nuestro Padre celestial.

Hablemos ahora de una persona más a quien necesitamos perdonar… nosotras mismas.

Perdónate

El autor David Seamands dijo una vez: "No hay perdón de Dios a menos que tú voluntariamente perdones de corazón a tu hermano. Y me pregunto si nuestra mente es tan estrecha como para pensar que llamamos 'hermano' solamente a otra persona. ¿Qué sucedería si TÚ fueras ese hermano o hermana que necesita perdón, y necesitas perdonarte a ti mismo?"[8]. Muchas veces la persona a quien más nos cuesta perdonar es la persona reflejada en el espejo cada mañana.

El apóstol Juan escribió: "Si confesamos nuestros pecados, él es fiel y justo para perdonar nuestros pecados y limpiarnos de toda maldad" (1 Juan 1:9). Dios promete perdonar nuestros pecados y Satanás promete hacernos recordar nuestros pecados para evitar que nos sintamos perdonadas. ¿A quién le vas a creer?

Todo lo que Dios pide para que podamos recibir su perdón es arrepentirnos. El arrepentimiento es estar de acuerdo con Dios respecto a tus pecados y aceptar el nuevo camino que debes tomar. Sin embargo, el arrepentimiento y el perdón no siempre eliminan las consecuencias de nuestro pecado. Dios perdonó a David por el adulterio y asesinato, pero aún así su primogénito murió como resultado de ello (2 Samuel 12:13-18). Abraham cometió el error de acostarse con Agar en vez de esperar a que Dios le diera un hijo a través de su esposa Sara. Dios perdonó a Abraham, pero como resultado los descendientes de Isaac (los judíos) y los descendientes de Ismael (los árabes) están en guerra hasta nuestros días. Él perdona los pecados sexuales en nuestros días, pero los embarazos no planeados, las enfermedades transmitidas sexualmente y los familiares alejados pueden ser consecuencias que resultan naturalmente de tales decisiones.

El autor F. B. Meyer escribió:

> Aprende a perdonar... y no vivas en el pecado del pasado. Tal vez hay cosas en nuestro pasado de las que estamos avergonzados, que quizás nos persiguen, que hasta pueden cortar los tendones de nuestra fuerza. Pero si se las entregamos a Dios mediante la confesión y la fe, él las hace a un lado y se olvida de ellas. Olvídalas y... olvida también el pecado que una vez viciaba y oscurecía tu historial, y marcha hacia adelante para reconocer la belleza de Jesús"[9].

Cuando los hermanos de José fueron a ver al gobernador de Egipto para pedirle alimento durante la época de hambruna, descubrieron que el gobernador era aquel hermano que habían vendido como esclavo. Estoy segura de que en ese momento se llenaron de culpa y remordimiento. Sin embargo, José los animó a perdonarse a sí mismos diciéndoles: "Ahora pues, no os entristezcáis ni os pese el haberme vendido acá, porque para preservación de vida me ha enviado Dios delante de vosotros" (Génesis 45:5). Es interesante ver que después de su primera visita, los hermanos de José fueron llevados otra vez ante su presencia porque él había escondido un tesoro en las alforjas de ellos. Cuando regresaron ante el gobernador, él les cambió el tesoro escondido por uno mucho más valioso: el perdón.

Cuando era una de las consejeras en el *Crisis Pregnancy Center* (Centro para embarazos en crisis), vino una mujer que se deprimía cada primavera. Durante una sesión, nos confesó que hacía más de diez años se había hecho un aborto un 5 de abril a las 10:30 de la mañana. Ahora Susana es cristiana y le ha pedido perdón a Dios, pero no se ha perdonado a sí misma. Ella permitió que Satanás sostuviera el naipe del triunfo y cada primavera él usaba la misma carta. Mediante consejería con la palabra de Dios, ella pudo finalmente perdonarse y liberarse de su pasado.

Hace varios años aprendí una estrategia para organizar mejor el armario. Primero pongo los artículos que ya no quiero en una de tres bolsas: bolsa para guardar, bolsa para tirar a la basura o bolsa para donar. Aprendí también que es muy importante utilizar bolsas que no sean transparentes. ¿Por qué? Sé que estás sonriendo. Pues porque tenemos la tendencia de revisar lo que ya estaba en la bolsa y sacarlo. *Ahora que está en la basura aquel cinturón no se ve tan viejo como en el armario.* Y otra: *¿qué estaba pensando cuando puse ese suéter en la bolsa para donar?*

Amiga, perdónate y, por tu propio bien, no vayas a revolver la basura. No la quieres, Dios ya se deshizo de ella y no vale la pena tenerla.

Una mujer que dejó atrás el pasado

Carolina era una mujer quien tuvo un tratamiento de belleza dramático cuando aprendió los pasos para dejar su pasado atrás. Te voy a compartir su historia.

Carolina vivía con su padre, madre y dos hermanos mayores en una cabaña muy sencilla con piso de concreto, sin agua corriente y un retrete en el jardín de atrás. Por un lado, su padre era un hombre frío y violento, y por el otro, su madre una mujer muy amorosa y bondadosa. El primer recuerdo que Carolina guarda de su niñez es de cuando tenía tres años de edad; sus padres habían discutido violentamente, su padre golpeó con el puño una pared de la sala; luego se fue rechinando las llantas de su auto, y abandonó a la familia. Cuando Carolina tenía cuatro años, su padre regresó, golpeó a su madre y le arrancó a sus hijos de los brazos. Luego metió en el auto a la fuerza a los niños que no dejaban de llorar.

"Tú no puedes cuidar a estos niños", gritaba él. "Ni siquiera puedes conducir un auto. Yo tengo una nueva esposa que los cuidará mejor que tú. Me los voy a llevar y no hay nada que puedas hacer al respecto".

La madre de Carolina le creyó y no intentó recuperarlos. Carolina recuerda que se asomó por la ventanilla trasera y vio a su madre abatida en la puerta de su casa que lloraba: "Por lo menos déjame a mi pequeña". El corazón de Carolina se destrozó en cuanto su padre empezó a conducir y a alejarla de su mundo. La madrastra de Carolina era una mujer fría y dura que les daba muy poco o nada de afecto a los tres hijos de su esposo. El trío sólo vivía esperando los fines de semana cuando podían visitar a su madre.

Poco después de llegar a la casa de su padre, él empezó a abusar sexualmente de Carolina. Confundida y temerosa, ella no sabía cómo impedirlo o siquiera si podía hacerlo. Antes de irse a dormir, Carolina empezó a usar dos o tres pijamas y hasta se ponía un alfiler de seguridad para que se quedaran en su lugar. Aún con todo eso, su padre la violó una y otra vez.

Los hermanos de Carolina extrañaban terriblemente a su madre. Ella se casó de nuevo con un alcohólico violento, y ellos se preocupaban constantemente por su seguridad. Cuando su padre y su madrastra salían por la noche a cenar o al cine, los muchachos llamaban a una vecina de su madre. Como esta no tenía teléfono en su casa, los vecinos iban por ella para que pudiera hablar con sus hijos. Pero una noche, la llamada trajo una noticia que sacudió el mundo de los hijos para siempre.

—Hola, hablan Alan y Roberto. ¿Podría ir por mi mamá?

—Lo siento muchachos. ¿Nadie se los dijo? Su mamá está muerta. Su esposo le disparó por la espalda y luego se suicidó

La persona que más amaba a Carolina se había ido para siempre.

El abuso sexual continuó. Cuando Carolina cumplió 14 años se hizo de valor y cerró su puerta con llave. Al día siguiente, su padre enardecido quitó la puerta de las bisagras y Carolina perdió toda su privacidad o protección.

Cuando ella tenía 16 años, su padre tuvo un accidente automovilístico que ocasionó que debiera quedarse en la casa durante el día. El verano se acercaba y Carolina estaba aterrada por lo que él le podría hacer en esos largos días de verano. Finalmente se armó de valor suficiente para ir a las autoridades. Ellos le prometieron que irían a rescatarla pero nunca lo hicieron. Desesperada, llamó al consejero de su escuela y le suplicó que la rescatara de su pesadilla de doce años. El consejero sí fue, pero como no sabía a dónde llevarla, la dejó en un centro de detención para jóvenes. El centro de detención estaba lleno de muchachas que estaban ahí para ser castigadas y una para ser protegida: Carolina.

Las semanas que Carolina pasó en el centro de detención fueron los dos meses más seguros de su joven vida. Los barrotes mantenían a las muchachas dentro, y a Carolina segura. Un domingo, un predicador bautista visitó el centro de detención y les presentó el evangelio de Jesucristo. Por fin Carolina escuchó que alguien la amaba. Al final del culto, él dijo: "Si alguien quiere aceptar a Jesús como su Salvador personal, por favor póngase de pie". Con lágrimas corriendo por sus mejillas, Carolina se levantó.

Tres semanas después de su llegada al centro de detención, una tía de Carolina que vivía en la Costa Oeste fue por ella y se la llevó a vivir con ella y su esposo. Con el tiempo, ellos la adoptaron. Carolina creyó que ahora sí tendría la oportunidad de ver cómo era una familia de verdad. Pero aquel sueño pronto fue hecho añicos.

Carolina adoraba a su tío y confiaba en él con todo su corazón. Sin embargo, él destruyó esa confianza cuando empezó a hacerle insinuaciones sexuales dos años después de su llegada. Una vez más, una figura paterna la violó. Sólo que esta vez Carolina sabía que podía haber dicho que no, pero no lo hizo. Se sintió sucia, avergonzada y despreciable. Carolina fue a la universidad y, al igual que la mujer junto al pozo, intentó llenar su vacío de la única manera que sabía: con hombres. Se casó a los 18 años, pero anuló ese matrimonio seis meses después. Se volvió a casar a los 20 años, pero se divorció seis años después. Se casó nuevamente a los 26 años y se divorció después de 14 años de matrimonio. Una vez más se casó a los 40 años y se divorció tres años después.

Una noche, Carolina se encontró con Jesús junto al pozo de su Palabra. Ella abrió su Biblia y buscó versículos que hablaran del gozo. *Estoy segura de que la Biblia me puede decir cómo hallar el verdadero gozo*, pensó.

Ella leyó Salmos 16:11: "En tu presencia hay plenitud de gozo". Luego leyó Romanos 4:7, 8: "Bienaventurados aquellos cuyas iniquidades son perdonadas, y cuyos pecados son cubiertos. Bienaventurado el hombre a quien el Señor jamás le tomará en cuenta su pecado". Y luego fue hasta Juan 15:11, 12: "Estas cosas os he hablado para que mi gozo esté en vosotros y vuestro gozo sea completo. Este es mi mandamiento: que os améis los unos a los otros, como yo os he amado".

El Espíritu Santo abrió sus ojos a la verdad que la haría libre.

"Dios, ¿me estás diciendo que para encontrar la felicidad tengo que perdonar?".

Uno a uno, Carolina empezó a orar y a perdonar a aquellos que la habían lastimado. "Señor, perdono a mi padre por haber abusado de mí. Perdono a mi madrastra por no haberme protegido. Perdono a Jake por haber matado a mi madre. Perdono a mi tío Juan por haberme seducido". Con cada persona que Carolina perdonaba, ella sentía una liberación como si los grilletes de la opresión cayeran de sus brazos, sus piernas y su corazón. Hubo una sola persona a quien no perdonó esa noche, pero bueno, era el inicio.

Cuando conocí a Carolina en un retiro para mujeres, ella escuchó con gran atención lo que yo decía sobre correr la carrera igual que Pablo: "Nosotras debemos olvidar el pasado: lo bueno que hemos hecho, lo malo que otros nos han causado, y lo feo que se ha hecho a través de nosotras"; me escuchó decir. "Debemos encontrar el tesoro escondido, perdonar a aquellos que nos lastimaron, y perdonarnos a nosotras mismas".

Había una persona a quien Carolina no había perdonado: ella misma. Había tomado una serie de malas decisiones en su vida y Satanás se las recordaba a diario. Pero finalmente, un sábado de marzo del año 2000, Carolina decidió dejar de escuchar la voz del acusador y empezar a creer la verdad de 1 Juan 1:9. Ese día, Carolina se perdonó y al fin fue libre.

Hoy en día, Carolina está corriendo la gran carrera de una vida no encarcelada. Y, al igual que la mujer junto al pozo, ella dejó su cubeta con agua y trajo a toda la comunidad para que escucharan al Hombre que le habló sobre el agua viva que satisface tanto que nunca más tendremos sed. Hoy, ella es una conferencista y maestra de Biblia que comparte la verdad liberadora de Dios con todos aquellos que la escuchen. Ella encontró el oro al utilizar sus experiencias pasadas y llevarlas ante Aquel que hace libre a los cautivos.

Tu invitación a la libertad

El estado de Carolina del Norte ha visto nacer a algunos de los hombres y mujeres más influyentes. Quizás uno de nuestros favoritos es Andy Griffith, del programa de televisión *The Andy Griffith Show* (El show de Andy Griffith). En la pequeña ciudad ficticia del programa de Andy, llamada Mayberry, vivía el borracho de la ciudad llamado Otis. Cuando arrestaron a Otis por beber en la vía pública, Andy lo puso en una celda hasta que volvió a estar sobrio. Después de una buena noche de descanso, Otis se despertó, estiró la mano por entre los barrotes de la celda, tomó la llave que colgaba de un clavo en la pared, abrió la puerta y se liberó. Así de simple. En algunas ocasiones, Otis iba a la prisión, se encerraba a sí mismo, y colocaba la llave de nuevo en la pared.

Esa era siempre una escena muy cómica, pero me recordaba la cárcel en la que nos encerramos cuando permanecemos prisioneras de nuestro pasado. La llave de nuestra liberación no está colgada de un clavo en la pared de una prisión, sino colgada de un clavo de una cruz áspera. Su nombre es Jesús.

La llave está al alcance de tu mano. ¿Te vas a liberar?

Un guardarropa completamente nuevo
Reemplaza los harapos por un atuendo de realeza

Su papá la llamaba su "pequeña princesa"; no sólo porque parecía una princesa, sino porque, de hecho, era una princesa. El papá de Tara era el rey y ella era en verdad su pequeña princesa. El nombre de ella significaba "árbol de palmera", que era un símbolo de victoria y de honor. Pero, como ya lo sabemos, el nacer en una familia adinerada y de prestigio no es garantía de una vida llena de paz, felicidad, sin dolor, tragedia o desesperación; ese fue el caso de Tara.

Tara tenía varios hermanos: hermanos, medios hermanos, hermanas y medias hermanas. Aquello era una verdadera mezcolanza. Uno de sus medios hermanos en particular la hacía sentir muy incómoda. Aarón se paraba muy cerca de ella cuando le hablaba, la abrazaba un poquito más cuando se saludaban y le hacía cumplidos con una mirada que no parecía de hermanos. En muchas ocasiones, durante la cena, ella sentía su mirada casi atravesándola. Cuando ella osaba mirarlo, él sonreía con una mueca inicua que le hacía sentir escalofríos. El estar en su presencia la hacía sentir como si hubiera atravesado una telaraña y estuviera tratando de limpiarse las telarañas invisibles que le colgaban del alma.

Un día, Tara le comentó su intranquilidad a una de sus hermanas:

—¡Oh, eso solamente es su personalidad coqueta! —increpó su hermana—. Además, ¿qué te hace pensar que él esté interesado en ti? Es sólo tu imaginación, tontuela.

Tara no estaba imaginando el enamoramiento de su medio hermano. Aarón deseaba con lujuria a Tara; día y noche tenía pensamientos y deseos impuros sobre ella. Sus anhelos apasionados lo consumían tanto, que un amigo notó su frustración.

—¿Qué te pasa Aarón? —le preguntó su amigo—. ¿Por qué te ves tan ojeroso día tras día?

—No puedo dormir —le contestó Aarón—. En lo único que puedo pensar es en traer a Tara a mi cama.

El pulso del amigo se aceleró con la mera mención de Tara. Ella en verdad era hermosa de cuerpo y de rostro.

—Tú eres un príncipe, ¿o no? Esto es lo que tienes que hacer… —y los dos tramaron un plan malévolo.

Al día siguiente, Aarón pretendió estar enfermo. Cuando su padre fue a verlo, le dijo: "Papá, no me siento bien, y lo único que se me antoja son los panecillos dulces de Tara. ¿Le puedes pedir que me traiga unos aquí a mi habitación?".

Obedeciendo a la petición de su padre, Tara le llevó a Aarón un plato con panecillos recién horneados. Pero no fue el delicioso aroma de los panecillos de Tara lo que hizo que se estremecieran los sentidos de Aarón. Cuando ella se acercó a la cama, él les ordenó a todos los sirvientes que se fueran de su habitación y que cerraran la puerta con llave al salir. La jovencita dejó caer el plato y se quedó congelada por el miedo. Aarón tomó a su hermana y la lanzó sobre sus sábanas de satén. Ella luchó, peleó y golpeó el pecho, la cara y los brazos de su medio hermano, pero la lucha sólo parecía hacerlo más agresivo y apasionado. La fuerza de Tara no se comparaba con la determinación de Aarón. En menos de diez minutos Tara perdió su más preciada posesión: su virginidad.

Después de satisfacer su obsesión, Aarón empujó a su hermana al suelo con repugnancia. Ahora él la odiaba más de lo que alguna vez la había amado.

Tara salió huyendo de la habitación de Aarón con lágrimas corriendo por sus mejillas y sangre brotando de la comisura de su boca. Ella rasgó su manto real de princesa virgen y, gimiendo por todo el castillo, fue a buscar a su mejor amigo: su hermano Alejandro. Alejandro escuchó su llanto, corrió a darle un abrazo paternal, y le juró vengarla.

"¡Shh!", le dijo mientras sostenía su dedo índice sobre los labios de ella. "No le digas a nadie lo que ha sucedido. Vente a vivir a mi casa por un tiempo".

Tara estaba desconsolada y pasó el resto de sus días en una desolación terrible, aislada en la casa de Alejandro. Nunca más se puso el manto de una princesa, sino que se vestía con una túnica de arpillera y un montón de cenizas sobre su cabeza.

Esta historia parece sacada de las páginas de una revista de chismes o de una película hecha para la televisión o de alguna novela de la tarde. Aunque le adorné unos cuantos detalles, la historia está en 2 Samuel 13, en la Biblia, y cuenta un sórdido drama de tres de los hijos del rey David. Tara es Tamar, Aarón es Amnón y Alejandro es Absalón.

La historia de Tamar puede ser tu historia. Si tú has sido abusada sexual o emocionalmente, tienes algo en común con Tamar. Si tú has sido avergonzada o rechazada, tienes algo en común con Tamar. Si te ha sucedido alguna vez algo despreciable y otras personas te han aconsejado no decir nada, tienes algo en común con Tamar. Si tú te has sentido desprotegida por tu padre terrenal, tienes algo en común con Tamar. Si tú has vivido en lamentación y desolación, tienes algo en común con Tamar. Pero sin importar cuál sea tu situación particular, hay una cosa que tú no tienes en común con Tamar. El padre de Tamar la dejó vestida con una túnica de arpillera y no hizo nada para

restaurarla a la posición que por derecho tenía como princesa. Tu
Padre celestial hizo el sacrificio supremo para darte una nueva túnica
y regresarte a la corte real.

El guardarropa original

Cuando tenía diez años, mi abuela me inició en el camino de
la costura. Nuestro primer proyecto fue transformar un pedazo de
tela rectangular en un delantal bien hecho, con dos bolsillos al frente
y con unos cordones largos que se ataban alrededor de mi pequeña
cintura. ¡Qué interesante, pues la primera pieza de ropa que la joven
Eva hizo en el jardín del Edén también fue un delantal!

Regresemos al jardín del Edén y echemos un vistazo al cuarto de
costura de Eva. En el capítulo 3 vemos cómo Satanás tentó a Eva para
que desobedeciera el único mandamiento que Dios les dio, y que
comiera del árbol del conocimiento del bien y del mal. Cuando Eva y
Adán desobedecieron y comieron el fruto, sus ojos se abrieron. Vieron
su desnudez y le dieron cabida a dos emociones nuevas: el miedo y la
culpa. En un esfuerzo por cubrir su culpa, Eva ideó una aguja e hilo, o
algo parecido, y unió unas hojas de higuera para hacer unos delantales
(Génesis 3:7, Reina-Valera 1960). Otras traducciones de la Biblia los
llaman "cubiertas" (Nueva Versión Internacional) o "ceñidores"
(Reina-Valera Actualizada). Pero la mejor traducción es "delantales".
El diseño original de Eva sólo cubría el frente y el centro; sólo la parte
que ella podía ver.

Así como Eva trató de cubrir su vergüenza con un delantal, nosotras intentamos cubrir nuestra vergüenza con delantales modernos.
Pero hay algo respecto a los delantales, en especial si es lo único que
traes puesto: un delantal no te cubre la parte de atrás. Estoy segura de
que tan pronto como Adán y Eva se dieron la vuelta para marcharse,
Satanás se rió disimuladamente ante el panorama.

¿Alguna vez te has hecho un delantal para cubrir tu vergüenza?
Tal vez no un delantal literalmente, pero ¿tal vez algún tipo de hojas

de higuera modernas? Las mujeres en nuestros días ya no usan delantales como antes. Pero quizás tratamos de cubrir nuestra vergüenza con ropa hermosa, un hogar perfectamente decorado o con logros personales.

La única vez en que me pongo un delantal es cuando trabajo. ¿Alguna vez has tratado de cubrir tu vergüenza "trabajando para el Señor"? ¿Has tratado de ganarte la aceptación o de pagar tu penitencia mediante tu servicio? Si nos estamos escondiendo detrás de un delantal, tal vez engañemos a algunas personas, pero tarde o temprano vamos a tener que caminar y, entonces sí, ¡cuidado con lo que queda expuesto!

Dios vio los delantales miserables de Adán y Eva (y sus partes traseras) y supo que su endeble intento para cubrir su vergüenza no era suficiente. Entonces él mató a un animal, les hizo ropa de piel, y los vistió por delante y por atrás. Ese fue el primer sacrificio que registra la historia y un anuncio del sacrificio que habría de venir. Estas ropas brindaban un abrigo temporal de sus vergüenzas, pero Dios hizo otro plan para cubrir la vergüenza del hombre de una vez y para siempre. Él nos dio otro sacrificio: su Hijo único, Jesucristo. Gracias a la muerte de Jesús en la cruz y a su resurrección, nuestros pecados han sido cubiertos con su sangre. Cuando recibimos a Jesús como nuestro Salvador, uno de los beneficios de convertirnos en hijas de Dios es recibir un guardarropa nuevo. Estamos revestidas con la justicia de Cristo. Estamos vestidas con Cristo mismo (Gálatas 3:27).

Una imagen muy hermosa de estar revestidos con Cristo se encuentra en el libro de Jueces. Cuando Dios llamó al cobarde Gedeón para hacerlo el líder del ejército israelita, la Biblia dice que: "Entonces Gedeón fue investido por el Espíritu del SEÑOR" (Jueces 6:34). La palabra hebrea para "investir" es *labesh*, que quiere decir "arroparse, o ponerse ropa"[1]. ¿No es esta una maravillosa imagen de Dios, ver cómo arropa a Gedeón consigo mismo? ¿Lo puedes imaginar? Yo creo que sí, pues tú misma has sido arropada con Cristo de la misma manera.

Esa ropa está hecha a tu medida y fue diseñada por Dios.

Uno de los resultados de este programa de ejercicios (correr con la meta en mente) y del régimen para perder peso (dejar el pasado atrás) es la necesidad de adquirir un guardarropa nuevo. Aquellas personas que han experimentado una pérdida de peso muy considerable conocen la emoción de tener que comprarse ropa nueva acorde con su nueva imagen. En el tratamiento de belleza total, Dios ya te compró un guardarropa nuevo y sólo está esperando la oportunidad para ponértelo sobre los hombros.

David cantaba: "Has convertido mi lamento en una danza; quitaste mi vestido de luto y me ceñiste de alegría" (Salmo 30:11). Isaías se regocijó diciendo: "Él me ha vestido con vestiduras de salvación y me ha cubierto con manto de justicia" (Isaías 61:10). Los discípulos de Jesús estaban investidos del poder de lo alto (Lucas 24:49). Y Pablo les escribió a los gálatas: "porque todos los que fuisteis bautizados en Cristo os habéis revestido de Cristo" (Gálatas 3:27). Ya no estamos vestidas con una túnica de arpillera sino con la justicia de Cristo.

Regresemos con Tamar

A través de mi trabajo en el ministerio para mujeres, he conocido a muchas que sufren innecesariamente al igual que Tamar. Tal vez no anden por la vida con cenizas sobre su cabeza o vestidas con harapos, pero sí usan el manto de la vergüenza que Satanás ha puesto sobre sus hombros y que lo ha asegurado con el engaño. Tal vez ellas tengan esposo, hijos, una carrera profesional exitosa y sean hermosas por fuera, pero muchas de ellas se pasan los días con el alma desolada porque Satanás las ha convencido de que eso es lo que se merecen. Siguen trayendo puesto el manto de la vergüenza a causa del abuso, del mal uso o de los errores de su pasado, y no se dan cuenta de que Jesucristo les compró un manto de justicia y que está listo para ponerlo sobre sus hombros. Quizás tú eres una de esas mujeres que necesita cambiar su guardarropa.

Regresemos a la historia de Tamar. Pretendamos que la historia no termina como lo hace en 2 Samuel. Imaginémonos juntas…

Tamar había vivido desolada y aislada por muchos años. Su cuerpo era débil por la falta de apetito, de alimento y de ejercicio. Sus brazos y piernas estaban callosos y en carne viva por el contacto constante de la tela burda de arpillera sobre su piel que un día fue suave. Las cenizas ya habían penetrado sus poros de modo que tenía la apariencia grisácea de la muerte. Nadie de la casa de su hermano había podido consolarla y, después de un tiempo, sencillamente se cansaron de seguir tratando.

Un día ella despertó de su trance cuando se abrió la puerta y un haz de luz irrumpió en la habitación. De pie en la puerta estaba la figura de un hombre que ella no reconoció pero que le era familiar. La luz lo seguía conforme se acercaba a ella, como si emanara de su cuerpo en vez de venir de alguna otra fuente externa. Él estaba vestido con un manto de un blanco deslumbrante y se parecía al Hijo de Dios. Ella no se atrevió a dirigirle la mirada sino que bajó la cabeza por vergüenza, lo cual ya se había convertido en su sello personal.

"No tengas miedo, mi preciosa", le dijo suavemente. "Mi padre, el Rey del cielo y de la tierra me envió a ti".

Tamar no podía ni levantar la mirada para verlo; entonces él colocó su mano sobre la barbilla de Tamar y con ternura levantó su cara. Sus ojos se encontraron y ella sintió una tibieza que recorría todo su cuerpo helado. Con el dedo, él limpió una lágrima que rodaba por la mejilla de ella y tomó su cara entre las manos de él. Ella jamás había visto amor ni compasión como esos.

Después de lo que había parecido una eternidad, él extendió su mano y Tamar entrelazó la suya con la de él. Al hacerlo, ella notó una cicatriz en la palma de la mano de él del tamaño de un clavo, y su nombre —Tamar— grabado justo debajo de la cicatriz. Sin decir ni una palabra, él metió un paño en uno de sus costados y empezó a lavarla con su sangre. Empezando por la cabeza y terminando en los dedos de los pies, todos esos años de hollín y suciedad empezaron a desaparecer, y la piel de Tamar brilló blanca y pura como la de un bebé recién nacido. Su piel no fue lo único que cambió. Su túnica de arpillera fue transformada en un manto real mucho más hermoso que cualquiera de los que había usado en la corte de su padre.

Él miró a Tamar directo a los ojos y le susurró: "Yo he sido enviado para vendar a los quebrantados de corazón, para proclamar la libertad de los cautivos y para dejarlos salir de la oscuridad. He venido para consolar a los que lloran, para proveer a los que están de duelo, y para darles una diadema en lugar de ceniza, aceite de regocijo en lugar de luto, y manto de alabanza en lugar de un espíritu desalentado" (ver Isaías 61:1-3).

Tamar nunca se sintió más libre en toda su vida. Ya no había más vergüenza ni desesperación. De repente, ella empezó a cantar una canción que había escuchado tocar a su padre con el arpa años atrás: "Quitaste mi vestido de luto y me ceñiste de alegría" (Salmo 30:11). "En gran manera me gozaré en el SEÑOR; mi alma se alegrará en mi Dios. Porque él me ha vestido con vestiduras de salvación y me ha cubierto con un manto de justicia" (Isaías 61:10).

Jesús le contestó con su propia canción de promesa: "Los que a él miran son iluminados; sus rostros no serán avergonzados" (Salmo 34:5).

Entonces bailaron.

Querida hermana, cuando tu Padre celestial te mira, él te ve revestida en Jesucristo: pura, santa y sin mancha. No permitas que Satanás te convenza de ponerte de nuevo la túnica de arpillera. Dios nos ha regalado un guardarropa nuevo y, ¡nunca más tendremos la necesidad de usar aquellas ropas de segunda mano!

Una exfoliación de lo viejo
Quítate los antiguos hábitos
y maneras de pensar

De todas las actividades que disfrutaba hacer la pequeña Miriam de diez años, la que más le gustaba era montar a caballo. Charlie, su caballo favorito, tenía una crin suave de color castaño, patas firmes y musculosas, y una voluntad fuerte que hacía juego con todo aquello. Miriam se sentía poderosa y segura de sí misma cuando controlaba al masivo animal, excepto cuando él veía el establo. Cada vez que Miriam y Charlie regresaban de dar un paseo por el bosque, tan pronto se acercaban lo suficiente como para que el caballo viera el establo, él se desbocaba rumbo a su hogar y forzaba a Miriam a asirse con gran fuerza de las riendas para mantenerse viva.

Un día, la instructora de equitación de Miriam presenció cómo ese animal obstinado tomaba el control de su ama. Ella estaba indignada.

"¡Miriam! ¿Qué estás haciendo?", gritó la instructora. "¡No puedes dejar que ese animal te controle de esa manera! Saca a ese caballo del establo en este instante".

Obedientemente, Miriam se montó en Charlie y lo alejó un poco de las caballerizas.

La sabia mujer le instruyó: "Cuando regreses y Charlie vea el establo y empiece a correr hacia allá, jala tus riendas del todo hacia la derecha. No lo dejes ir hacia adelante".

A su señal, Miriam encaminó a su caballo rumbo a las caballerizas. Como siempre, él empezó a desbocarse.

"¡Dale la vuelta! ¡Dale la vuelta!", gritaba la instructora.

La pequeña Miriam jaló las riendas hacia la derecha tan fuerte como pudo hasta que la cabeza del caballo quedó a unos cuantos centímetros de tocar el hombro de ella. Pero, en vez de obedecer a su líder, Charlie luchó contra ella con toda la fuerza de un caballo de guerra. El caballo y su jinete daban vueltas y vueltas.

"¡No dejes que se te vaya!", gritaba la instructora. "¡Quebranta su voluntad!".

Después de diez largos minutos dando vueltas, Miriam y Charlie estaban cansados y bastante mareados. El caballo dejó de dar vueltas en círculos y ella dejó de jalarlo a la derecha.

"Ahora, con gentileza dale unas pataditas suaves para ver si camina hacia el establo en lugar de correr", le indicó la instructora.

Charlie no se desbocó sino que caminó a un ritmo normal. Miriam había quebrantado la voluntad del caballo y ahora ella tenía el control nuevamente de ese hermoso animal que se sometía a las órdenes de su ama.

Cambiar la forma en que actuamos

Cuando empecé a tomar clases de piano, al poco tiempo me sentí frustrada porque yo no quería aprender a tocar el piano, ¡quería tocar el piano! Muchas veces, cuando estamos aprendiendo una nueva habilidad no queremos practicar, queremos ver resultados inmediatos. Y cuando los resultados no llegan instantáneamente, nos sentimos frustradas y nos damos por vencidas.

Todo lo que se ha mencionado en las páginas anteriores nos lleva al deseado resultado de cambiar la forma en la que actuamos. Si colocamos la carreta delante del caballo y empezamos queriendo cambiar nuestras acciones sin cambiar nuestro corazón y nuestra mente, nos vamos a sentir frustradas. Eso fue lo que hicieron los fariseos. A eso se le llama legalismo y no nos lleva a la libertad en Cristo o a la belleza interna. Ya aprendimos la verdad, ahora apliquémosla a nuestras acciones.

Así como el caballo de Miriam tenía la tendencia a desbocarse rumbo al establo porque ese era el patrón de comportamiento que había desarrollado por muchos años, nosotras también tenemos la tendencia a recaer en los patrones de hábitos inherentes que aprendimos durante nuestros años de formación cuando tratábamos de satisfacer nuestras propias necesidades independientemente de Dios. Lamentablemente, cuando nos entregamos a Cristo nadie oprime el botón para borrar esas antiguas maneras de actuar y de pensar que han sido programadas en nuestra mente.

La exfoliación de la antigua manera de vivir en la carne empieza cuando renovamos nuestra mente con la verdad de Dios, y continúa cuando aplicamos esa verdad y caminamos en el Espíritu. Tenemos que darle las riendas de nuestra vida a Jesús y permitir que nuestro Maestro tenga el control. Pero aquí tengo que hacerte una advertencia: algunas veces vas a estar dando vueltas y vueltas mientras el Maestro intenta quebrantar tu obstinada voluntad.

A Pablo no le era extraña esta lucha para cambiar la forma en la que actuamos. En Romanos 7, él nos deja ver su propia batalla:

> Porque lo que hago, no lo entiendo, pues no practico lo que quiero; al contrario, lo que aborrezco, eso hago. Y ya que hago lo que no quiero, concuerdo con que la ley es buena. De manera que ya no soy yo el que lo hace, sino el pecado que mora en mí. Yo sé que en mí, a saber, en mi carne, no mora el bien. Porque el querer el bien está en mí, pero no el hacerlo. Porque no hago el bien que quiero; sino al contrario, el mal que no quiero, eso practico. Y si hago

lo que yo no quiero, ya no lo llevo a cabo yo, sino el pecado que mora en mí. Por lo tanto, hallo esta ley: Aunque
quiero hacer el bien, el mal está presente en mí. Porque
según el hombre interior, me deleito en la ley de Dios;
pero veo en mis miembros una ley diferente que combate
contra la ley de mi mente y me encadena con la ley del
pecado que está en mis miembros. ¡Miserable hombre de
mí! ¿Quién me librará de este cuerpo de muerte? (versículos 15-24).

Pablo estaba en dificultades. Él se sentía desdichado. Yo he sentido exactamente lo mismo. ¿Lo has sentido tú? Querida hermana, si
seguimos dependiendo de nuestros antiguos patrones de comport-
tamiento de la carne y de nuestras antiguas manera de hacer las cosas,
la mayoría del tiempo nos vamos a sentir frustradas. En su mente,
Pablo sabía lo que quería hacer, pero su cuerpo —igual que el obstinado caballo de Miriam— quería hacer lo opuesto. Por siglos, los
teólogos han discutido si Pablo estaba escribiendo acerca de su vida
antes o después de su conversión. Yo puedo ver las razones de ambos
lados. Pero mientras eso se aclara hay una cosa que sí es segura: en
estos versículos Pablo era un hombre que trataba de "hacer el bien"
dependiendo de su propia fuerza.

Tengo un ejercicio para ti: vuelve a leer esos versículos, y
cada vez que Pablo utiliza las palabras "yo", "mi" o "mí", márcalas.
¿Cuántas encontraste?

Pablo utiliza mas de 30 alusiones personales al describir su lucha
por hacer que su caminar concuerde con su hablar. ¡Hay demasiados
"mí", "yo", y "mí mismo"! Ahí está el problema. Cuando nos enfocamos
en nuestra propia fuerza y nuestras propias habilidades, separadas de
Cristo, siempre nos va a faltar algo. Nosotras vivimos en una cultura
que dice: "Levántate por tus propias fuerzas", "Si puedes soñarlo,
puedes lograrlo". La compañía de autos de alquiler *Avis* usa la preten-

ciosa frase: "Nos esforzamos más que los demás". Lamentablemente, "nos esforzamos más que los demás" es el estandarte que ondea sobre muchas iglesias y corazones hoy en día.

Te tengo una noticia que te sorprenderá: vivir la vida cristiana no es difícil. Es imposible, y cuanto más lo intentes con tus propias fuerzas, más frustrada te sentirás. Jesús es el único en toda la historia que vivió una vida cristiana, y él es el único que puede vivir así hoy en día. ¡La buena noticia es que él quiere vivirla a través de ti!

¿Pero cómo? Pablo conocía el problema, pero también conocía la solución. Él estaba tan emocionado por darnos la respuesta que no pudo esperar hasta Romanos 8. Al final de Romanos 7 nos dice: "¡Miserable hombre de mí! ¿Quién me librará de este cuerpo de muerte? ¡Doy gracias a Dios por medio de Jesucristo nuestro Señor! Así que yo mismo con la mente sirvo a la ley de Dios; pero con la carne, a la ley del pecado" (Romanos 7:24, 25). Jesús dice: "y conoceréis la verdad, y la verdad os hará libres" (Juan 8:32). Él también dijo: "Yo soy el camino, la verdad y la vida" (Juan 14:6). Sólo cuando conocemos a Cristo (la verdad) podemos ser liberadas de la esclavitud legalista de intentar vivir una vida cristiana con nuestras propias fuerzas.

Pablo lo descubrió: el tratar más no es la respuesta. Permitir que Jesús viva a través de nosotros sí lo es. En Gálatas 2:20 Pablo dice: "Con Cristo he sido juntamente crucificado; y ya no vivo yo, sino que Cristo vive en mí. Lo que ahora vivo en la carne, lo vivo por la fe en el Hijo de Dios, quien me amó y se entregó a sí mismo por mí". Nunca vamos a tener libertad si andamos en la carne; es decir dependiendo de nuestras propias habilidades lejos de Cristo. Sólo vamos a tener libertad si andamos en el Espíritu y nos identificamos con la muerte, la sepultura y la resurrección de Jesucristo.

Rompe el poder de la carne

Pablo escribió: "porque los que son de Cristo Jesús han crucificado la carne con sus pasiones y deseos" (Gálatas 5:24). Si ese es el caso, entonces ¿por qué seguimos teniendo esa lucha con la carne en nuestro diario andar? Neil Anderson explica: "Es importante reconocer que nuestra crucifixión de la carne no es lo mismo que la crucifixión de nuestro 'viejo hombre' o el 'antiguo yo' (Romanos 6:6)". El viejo hombre fue crucificado por Dios cuando aceptamos a Cristo. Eso ya es una obra concluida. Anderson continúa diciendo: "La carne ya no es la característica dominante y controladora de nuestra vida… Las características del viejo hombre todavía están presentes, si bien ya no representan nuestra nueva identidad"[1]. Nosotros crucificamos la carne diariamente mediante las decisiones que tomamos. Sin embargo, el poder para tomar esas decisiones debe venir del Espíritu Santo. No podemos hacerlo solas.

Romper el ciclo de vivir en la carne se logra mediante el poder del Espíritu Santo, pero nosotras tenemos que participar con él. Él nos da el poder; nosotras nos conectamos a la fuente de poder y tomamos la decisión de hacer morir los deseos de la carne. ¿Entendiste eso? Empieza con una decisión… en la mente.

La Biblia nos enseña que nuestras luchas y tentaciones vienen del mundo, de la carne y del demonio (Efesios 2:2, 3). El mundo puede ser definido como "todo el sistema de la humanidad (sus instituciones, estructuras, valores y costumbres) organizado sin Dios"[2]. El mundo promueve la autosuficiencia. La carne es nuestra vieja manera de vivir alejadas de Cristo. Y, por supuesto, ya estamos demasiado familiarizadas con el demonio. Es virtualmente imposible poder decir si la tentación es resultado del mundo, de la carne, o del demonio porque todos están entrelazados de forma intrínseca. El mundo intenta constantemente alejarnos de Dios mediante cosas que atraen a la carne. Al mismo tiempo, Juan dice: "Sabemos que… el mundo entero está bajo el maligno" (1 Juan 5:19). Los tres son socios.

¡Pero aún estos tres enemigos no tienen comparación con el poder que obra en nosotras! "Ésta es la victoria que ha vencido al mundo: nuestra fe. ¿Quién es el que vence al mundo, sino el que cree que Jesús es el Hijo de Dios?" (1 Juan 5:4, 5). "El que está en vosotros [Jesús] es mayor que el que está en el mundo [Satanás]" (1 Juan 4:4).

Dios nos asegura que nunca seremos tentadas más allá de lo que podamos soportar, y que siempre nos dará una forma de escapar (1 Corintios 10:13). Nunca podemos decir: "El demonio me obligó a hacerlo", porque no es así. Él tal vez hizo la sugerencia, pero nosotras tomamos la decisión. Igual que un participante en un programa de concursos, estamos de pie frente a la puerta número 1 y a la puerta número 2. Detrás de la puerta número 1, con la leyenda "Camina en la carne", se esconde el placer temporal que lleva a la muerte. Detrás de la puerta número 2, con la leyenda "Camina en el Espíritu", se esconde la victoria eterna que lleva a la vida.

Camina en el Espíritu

En una fábrica donde se tejen telas muy delicadas, se les indicó a los operadores de la maquinaria que llamaran al supervisor en cualquier momento en que los hilos se enredaran en el equipo. Había una mujer que ya había trabajado en la fábrica por muchos años y que conocía muy bien la maquinaria. Pero un día, cuando los hilos de la máquina a su cargo se enredaron en los engranajes, ella trató y trató de sacarlos.

Después de varios minutos, había creado tal desastre que puso en gran riesgo esa máquina tan cara.

Finalmente, llamó al supervisor y se defendió diciendo: "Traté de hacer lo mejor".

El supervisor contestó: "No, no es así. Lo mejor era haberme llamado".

Nosotras podemos hacer todo lo posible para componernos a nosotras mismas pero, en realidad, hacer lo mejor es llamar a Dios, depender de él y caminar en el Espíritu. Pablo escribió: "Andad por el Espíritu, y no cumpliréis el deseo de la carne. Porque el deseo de la carne es contra el Espíritu, y el del Espíritu es contra la carne, pues estos se oponen el uno al otro" (Gálatas 5:16, 17, La Biblia de las Américas). Hay una batalla continua que se está llevando a cabo entre la carne y el Espíritu, o entre la vieja manera de hacer las cosas separadas de Cristo y la nueva manera de hacer las cosas en unión con Cristo. Esa es una decisión que tomamos a cada momento. Pero gracias a Dios, él nos ha dado todo lo que necesitamos para vivir una vida de santidad y de verdad. Nosotras sencillamente hacemos la decisión de participar.

¿Cómo es una vida guiada por el Espíritu? Pablo pinta el marcado contraste entre una vida controlada por la carne (viviendo con nuestra propia fuerza) en Romanos 7, y la vida vivida bajo el control del Espíritu (dependiendo de la fuerza de Dios) en Romanos 8. Los versículos en Romanos 8 son como un bálsamo para el cristiano. He aquí sólo algunos:

- Ahora pues, ninguna condenación hay para los que están en Cristo Jesús (versículo 1).

- Pues no recibisteis el espíritu de esclavitud para estar otra vez bajo el temor, sino que recibisteis el espíritu de adopción como hijos, en el cual clamamos: "¡Abba, Padre!" (versículo 15).

- El Espíritu mismo da testimonio juntamente con nuestro espíritu de que somos hijos de Dios (versículo 16).

- Y si somos hijos, también somos herederos: herederos de Dios y coherederos con Cristo, si es que padecemos juntamente con él, para que juntamente con él seamos glorificados (versículo 17).

- Porque considero que los padecimientos del tiempo presente no son dignos de comparar con la gloria que pronto nos ha de ser revelada (versículo 18).

- Y sabemos que Dios hace que todas las cosas ayuden para bien a los que le aman, esto es, a los que son llamados conforme a su propósito (versículo 28).

- Más bien, en todas estas cosas somos más que vencedores por medio de aquel que nos amó (versículo 37).

- Ni lo alto, ni lo profundo, ni ninguna otra cosa creada nos podrá separar del amor de Dios, que es en Cristo Jesús, Señor nuestro (versículo 39).

En Romanos 7, cuando Pablo se enfocaba en "mí, mí mismo y yo", se sentía miserable. En Romanos 8, cuando Pablo se enfocaba en una vida en el Espíritu, era poderoso. Este es el resultado de la santificación: "El proceso de llegar a ser en tu comportamiento lo que ya eres en tu identidad. Tu viejo yo está muerto, pero la carne y el pecado siguen viviendo, combatiendo a diario contra tu nuevo yo para controlar tu vida. El crecimiento y la madurez espiritual vienen cuando tú crees la verdad de quién eres y, entonces, haces lo que se supone que debes hacer para renovar tu mente y andar en el Espíritu"[3].

El mundo, la carne y el demonio impiden andar en el Espíritu. Los tres obran en conjunto para tentarnos a que nuestras necesidades, otorgadas por Dios, sean satisfechas mediante cosas, circunstancias y personas en lugar de a través de Jesucristo. Vencemos a la carne cada vez que tomamos la decisión de seguir a Cristo y no a nuestra antigua y pecaminosa forma de hacer las cosas. Vencemos al mundo cada vez que elegimos creer en la Biblia y no a la cultura que promueve valores y perspectivas totalmente opuestas a los de Dios. Vencemos al maligno cada vez que elegimos creer la verdad y no en sus mentiras.

El andar en el Espíritu está caracterizado por el fruto del Espíritu: amor, gozo, paz, paciencia, benignidad, bondad, fe, mansedumbre y dominio propio (Gálatas 5:22, 23). ¡Cómo desearía poder reducir la vida en el Espíritu a una simple formula a seguir, pero no puedo! La vida en el Espíritu es el resultado sobrenatural del crecimiento de nuestra relación personal y continua con Jesucristo. Cuanto más íntimamente lo conozcamos y le obedezcamos, más nos transformaremos a su imagen y más hermosas seremos.

Andar en el Espíritu es una marcha continua hacia la cruz. Eso no se logra llenando tus días con actividades y servicio sin fin. Así como Jesús le dijo a Marta, la hermana ocupada de María: "Marta, Marta, te afanas y te preocupas por muchas cosas. Pero una sola cosa es necesaria. Pues María ha escogido la buena parte, la cual no le será quitada (Lucas 10:41, 42). "Satanás sabe que no puede hacer que seas inmoral para impedirte que sirvas a Dios, pero él posiblemente pueda hacerte ir más despacio al ocuparte con más cosas"[4].

Jesús nos invita a aprender a caminar uncidas a él. Él dijo: "Llevad mi yugo sobre vosotros, y aprended de mí" (Mateo 11:29). En tiempos de Jesús, cuando un granjero entrenaba a un buey joven para el trabajo en el arado, lo que hacía era uncirlo a un buey maduro. El buey joven no jalaba peso alguno, sólo caminaba al lado de su maestro. De igual forma, Jesús nos invita a caminar a su lado. Él llevará nuestra pesada carga; nosotras, simplemente mantendremos el paso junto a él.

Paty Pesarosa o Paula Poderosa

Creo que todas podemos estar de acuerdo en que necesitamos vivir una vida en el Espíritu (controlada por el Espíritu Santo y dependiente de su poder que está en nosotras) y no en la carne (viviendo una vida basada nuestro propio poder y fuerzas). Sin embargo, no siempre reconocemos la carne cuando la vemos. Eso es principalmente porque la carne de algunas personas se ve mejor que la de otras.

Vamos a analizar a Paty Pesarosa y a Paula Poderosa. Paty

Pesarosa siempre está deprimida, se ve a sí misma como víctima de las circunstancias y trata de que le satisfagan sus necesidades mostrándose triste y quejumbrosa. Jamás le salen bien las cosas a esta pobre muchacha. Ella ha aprendido que, si actúa tristonamente, la gente sentirá lástima por ella y no esperará mucho de ella, porque ella… es pesarosa, la pobrecita.

Por el otro lado, tenemos a Paula Poderosa. Ella se hace cargo de las cosas, podría dirigir a la compañía IBM con una sola mano, exuda confianza y valor. Paula Poderosa satisface sus necesidades mediante el buen desempeño, y así escucha las maravillosas palabras: "bien hecho" y "buen trabajo". Ella florece con los elogios de los demás. La gente espera mucho de Paula, porque ella es… bueno, poderosa.

Como cristiana, a Paty Pesarosa no le cuesta mucho creer lo que dice 2 Corintios 12:9: "mi poder se perfecciona en la debilidad", porque ella se centra en su debilidad. Paula, por otro lado, resuena con: "¡Todo lo puedo en Cristo que me fortalece!" (Filipenses 4:13), porque ella se ha valido de sí misma toda su vida.

La verdad es que ambas mujeres operan en la carne si continúan siguiendo los antiguos patrones que llevan arraigados profundamente después de tantos años de práctica.

¿Cuál eres tú? ¿Paty Pesarosa o Paula Poderosa? La mayoría de nosotras estamos en algún punto medio. Debo admitir, sin embargo, que la mayor parte de mi vida he tratado de verme como Paula Poderosa mientras me sentía más como Paty Pesarosa.

Es sorprendente cómo dos niños criados en la misma familia, con los mismos estímulos, pueden formar dos patrones o formas diferentes de encarar la vida. Por ejemplo, observemos a dos hermanos: Beatriz y Jonás. Ellos crecieron en una familia donde sus padres se pelaban constantemente. Su padre era un alcohólico y su madre era una controladora. Con esta combinación tan volátil, los hijos fueron testigos de muchas explosiones de ira.

En el intento por proteger sus emociones, los dos niños reaccionaron de forma diferente. Muchas noches Beatriz se paraba entre sus padres y, literalmente, terminaba la pelea. Ella se convirtió en la "arréglalo todo". Por el otro lado, su hermano huía de la escena y se convirtió en el "escápate". Al principio se montaba en su bicicleta y se iba lejos. Luego, cuando creció, agarraba las llaves del auto y se iba lejos.

Los dos niños crecieron para convertirse en adultos con patrones arraigados profundamente para manejar el estrés. Beatriz continuó siendo la "arréglalo todo". Ella trataba de arreglar todo y a todos. Jonás siguió siendo el "escápate", el que se iba cada vez que la vida se ponía difícil. Abandonó el equipo de fútbol de la secundaria cuando alguien cuestionó sus habilidades. Abandonó la universidad cuando los estudios se le hicieron demasiado pesados. Desistió en su matrimonio cuándo él y su esposa enfrentaron dificultades financieras. Y renunció a diez trabajos en diez años porque sus jefes "eran injustos" con él.

Aunque la versión carnal de Beatriz se ve mejor por fuera, no deja de ser carnal. Ninguno de los dos hermanos encontrará la paz ni la felicidad verdaderas hasta que aprendan a andar en el Espíritu.

Quizás tú no te relaciones con esos patrones de la carne (uno controlador o "arréglalo todo", o uno cobarde o "escápate"), pero cualquier mecanismo para vivir que esté alejado de Cristo muestra que andas en la carne.

¿Cómo puedes empezar a andar en el Espíritu? Empieza igual que un bebé cuando está aprendiendo a caminar: un paso a la vez.

> *Siembra un pensamiento y cosecharás una acción.*
> *Siembra una acción y cosecharás un hábito.*
> *Siembra un hábito y cosecharás un estilo de vida.*

Los días de victoria llevan a vidas de victoria. Si yo fuera a escribir otro libro titulado "Cómo vivir la vida cristiana victoriosa", tendría sólo tres palabras cada página: "Sigue a Jesús". Eso es todo. Sumérgete en él.

Aprende a caminar

Cuando mi hijo tenía cuatro años de edad, decidimos que ya era hora de quitarle las ruedas de seguridad a su bicicleta roja. Con una mezcla de miedo y emoción, Steven se montó en el asiento y yo tenía mi mano sobre la parte de atrás para ayudarlo a mantener el equilibrio. Él puso sus pies sobre los pedales y cruzó el jardín bamboleándose. Yo iba corriendo junto a él para evitar que se cayera. Después de varios intentos, llegó el momento de dejarlo ir solo. Cuando Steven se dio cuenta de que yo ya no iba corriendo junto a él, se llenó de pánico y cayó al suelo.

—No puedo hacerlo —lloriqueaba.

—Claro que puedes —lo animaba yo—. Una vez que aprendas, andar en bicicleta será la cosa *más divertida* que harás de niño. Vamos a tratar de nuevo.

Por casi treinta minutos, Steven intentó mantener el equilibrio en la bicicleta por sí solo. Entonces, se bajó, arrojó la bicicleta al suelo, puso las manos en la cintura, y anunció su frustración: "No puedo hacerlo. ¡Esto no es divertido y nunca lo será!".

Después, guardamos la bicicleta.

Ya puedes imaginarte lo que pasó. Días después, una vez que se le pasó la frustración, Steven se montó en su bicicleta y lo intentó de nuevo. Esta vez su cuerpo se equilibró con la bicicleta y pudo dominar el balance. El fin de semana siguiente fuimos a visitar a mi madre y Steven insistió en que lleváramos su bicicleta. Durante horas él pedaleó en la calle donde vivía mi mamá. Fue la cosa *más divertida* que hizo hasta entonces.

Andar en el Espíritu y cambiar los patrones de los viejos hábitos y formas de pensar no es tan fácil de aprender como andar en bicicleta, pero sí requieren práctica. Al principio, tal vez nos caigamos al suelo y nos raspemos las rodillas, nos bamboleemos en vez de andar, y luchemos contra la frustración. Pero cuando nos caemos, simplemente nos levantamos y lo intentamos de nuevo.

Hay una buena razón por la cual este capítulo está casi al final del libro. Tenemos la tendencia de querer una formula mágica o diez pasos para el éxito (o muslos más delgados con diez minutos de ejercicio al día). Sin embargo, la comprensión de la verdad de las páginas anteriores hace posible este capítulo. Si no cambiamos nuestra forma de pensar, no podremos cambiar nuestra forma de actuar.

Recordemos también que el cambio de nuestra forma de actuar no sucede de la noche a la mañana. Al igual que una persona a quien le amputaron una pierna y se estira para rascársela, así también puede que nosotras alberguemos remembranzas de la vida que hemos dejado atrás. ¿Acaso una alcohólica en recuperación jamás vuelve a sentir el deseo de hacer correr por su garganta aquel líquido que le incitaba los sentidos? ¿Acaso una mujer que antes era promiscua nunca vuelve a ponderar la emoción de la seducción? ¿Acaso la chismosa que ahora guarda silencio nunca vuelve a sentir el antojo de recuperar el poder de los secretos escondidos? No estoy segura de si esos deseos de la carne desaparecen para siempre o no. Lo que sí sé es que mientras más practiquemos la justicia y obedezcamos al Maestro que está guiando nuestra vida, *menos* caeremos en los senderos de nuestra antigua vida, y caminaremos *más* en nuestra nueva vida en sintonía con Dios.

Un día en la clínica de belleza
Pasa tiempo con el Artista de las Transformaciones

Me encontraba sentada muy cómoda en un sillón reclinable de piel que vibraba por todo mi cuerpo a intervalos calibrados. El lugar estaba iluminado suavemente por un grupo de velas aromáticas. Mi mente estaba relajada mientras se escuchaban instrumentos de cuerda que flotaban en el aire como aladas hadas invisibles, y el sonido de olas de mar que rompían en la orilla de la playa me envolvía. ¡Ah! Definitivamente, ese fue uno de los mejores regalos que mi esposo me había dado… ¡un día en una clínica de belleza!

En realidad, yo no sabía qué esperar cuando entré para hacer uso de mi cupón de regalo; pero quedé sorprendida. Primero, una señorita sumergió mis manos en parafina derretida y luego las puso dentro de unos guantes tibios. Entonces me llevó a una sala iluminada por velas; me sentó en el cómodo sillón reclinable y me dijo que me relajara. Minutos después regresó para hacerme un tratamiento facial exfoliante, después un masaje y al final un tratamiento humectante. Con renuencia me senté y metí los pies en una tina de masaje que burbujeaba. Mis pies parecían flotar en el aire después de 45 minutos de tratamiento: baño de burbujas, masaje de pantorrillas y tratamiento de pies.

Después, mi cabello fue sometido al peine y cepillo del estilista para una nueva imagen más a la moda. El tratamiento de manos francés hizo que mis manos (de cuarenta y algo de años) se vieran jóvenes y radiantes. El maquillista aplicó los colores apropiados en los lugares correctos y, al final, yo salí sintiéndome como una reina.

¡Un día en una clínica de belleza! ¡Qué regalo tan agradable! Pero eso fue un viernes. Para el lunes siguiente, la visita a la clínica parecía un recuerdo distante. Las células muertas regresaron a mi cara, los puntos de tensión en mi cuello aparecieron de nuevo, el barniz de uñas de mis pies empezó a resquebrajarse, el barniz de mis uñas se tornó amarillento a causa del producto para limpiar el baño que contiene cloro, y mi cabello rehusó someterse a mis órdenes; cambié mi nueva imagen a la moda por la de una ama de casa de la época de la colonia.

Sí, a toda mujer le encanta la idea de que la consientan todo un día de pies a cabeza; pero los resultados son temporales y vaya que desaparecen rápido. Sin embargo, hay una clínica de belleza donde los resultados son duraderos, las puertas están siempre abiertas y el artista de las transformaciones de belleza siempre espera nuestra llegada. Lo mejor es que ya está todo pagado. Todas y cada una de las hijas de Dios tenemos una cita permanente con él para que nos refresque y renueve hoy y todos los días; para hacernos hermosas y con resultados deslumbrantes y duraderos.

Todo lo que he escrito en las páginas anteriores gira sobre una bisagra principal. Para que podamos tener un tratamiento de belleza total, tenemos que pasar tiempo con el Artista de las Transformaciones de Belleza; es decir, con Dios. El ser conformadas a la imagen de Cristo no sucede cuando solamente adquirimos un conocimiento mental o cuando memorizamos más versículos de la Biblia, o cuando dominamos las conjugaciones de los verbos en griego y hebreo. Ser un reflejo de su gloria es el resultado directo de pasar más tiempo en su presencia, de abrazarnos a su amor y de rodearnos de su gracia. Pasar de un estado de gloria al siguiente no sucede al seguir meticulosamente una lista de reglas. Es el resultado sobrenatural de desarrollar una relación íntima y progresiva con Jesucristo que no deja de crecer. Las señales visibles y externas de tal relación ocurren cuando le damos a Jesús acceso total a nuestra vida para que él pueda morar en cada escondrijo y hendidura de nuestra mente, voluntad y emociones de modo de vivir su vida a través de nosotras. Cuando él lo hace, nuestro caminar irá tras los pasos de Jesús.

En el Nuevo Testamento, los fariseos eran los expertos religiosos de aquellos días. Tenían mucho conocimiento mental sobre Dios, pero su relación íntima con él era mínima o nula. Ellos sabían acerca de Dios, pero no lo conocían de manera personal.

En el Antiguo Testamento, los israelitas estaban satisfechos con saber acerca de Dios, pero nunca tuvieron el deseo de conocerlo de forma personal. Fueron testigos de los milagros que él realizó y comieron de los alimentos que les proporcionó, pero ellos se contentaron con disfrutar de su provisión sin conocer nunca a quien se las proveía. Hasta llegaron a pedir que Dios no les hablara directamente sino a través de su mensajero (Éxodo 20:19).

Sin embargo, Moisés era un hombre que conoció a Dios a un nivel personal. Dios hasta habló de Moisés como su amigo (Éxodo 33:11). Una característica que define a Moisés eran sus frecuentes viajes a la clínica de belleza de Dios: largos periodos de tiempo en la presencia de Dios. Una visita en particular duró 40 días y 40 noches (Éxodo 24:18). Cuando Moisés bajó del Monte Sinaí, se veía radiante, su cara brillaba. Los encuentros de Moisés con Dios tenían resultados tan deslumbrantes que Moisés tenía que cubrirse la cara con un velo para no cegar a quienes lo miraban. Entre una visita y otra con el Señor, el brillo glorioso disminuía gradualmente (2 Corintios 3:13). Pero cada vez que Moisés pasaba tiempo en presencia del Señor, se llenaba nuevamente de energía y la intensidad del brillo regresaba a su cara.

¿Has tenido una experiencia similar después de asistir a una conferencia para mujeres, a un retiro espiritual o después de pasar un tiempo sola con Dios? Regresas a casa con una sonrisa en la cara, con una canción en el corazón y con saltos en cada paso. Pero después de unos días, tu esposo hizo un comentario que te puso los pelos de punta, tu hijo adolescente no cumplió con la hora en que debía haber regresado y, para rematar, tu vecino te llamó para quejarse de que tu perro estuvo escarbando sobre su preciado rosal. (A menudo he dicho que yo sería una gran cristiana si no fuera por el resto de la gente). No se requiere de mucho para que la vida nos de nuevamente lo feo.

¿Qué debemos hacer, entonces, para mantener ese brillo santo en nuestro corazón a pesar de la lucha diaria? Primero, vayamos a la clínica de belleza a Dios regularmente. Una vez que lo hagamos, 2 Corintios 3:18 se vuelve una realidad en nuestra vida: "Por tanto, todos nosotros, mirando a cara descubierta como en un espejo la gloria del Señor, somos transformados de gloria en gloria en la misma imagen, como por el Espíritu del Señor".

¿Alguna vez has notado cómo las parejas de casados empiezan a parecerse el uno al otro, a hablar de forma parecida, y a utilizar los mismos gestos y poses? ¿Has visto cómo amigos de toda una vida utilizan palabras similares, se copian frases y sus ideas se amoldan con las del otro? Después del arresto de Jesús, algunos observadores reconocieron a Pedro como uno de sus seguidores. Uno de ellos dijo: "porque aun tu modo de hablar te descubre" (Mateo 26:73). Pedro hablaba como Jesús y ni siquiera se daba cuenta.

De igual manera, cuando pasamos tiempo con Dios, empezamos a hablar como él, pensar como él y responder a la vida como él. ¿Como quién quieres ser? ¿Como las mujeres que ves en la televisión o como Cristo? Una se empieza a parecer a las personas con quienes anda.

Una cita permanente

Por lo general, voy a cortarme el cabello cada seis u ocho semanas. Mi estilista —Bárbara— tiene una clientela bastante grande de señoras mayores que van a su salón una vez por semana, todas las semanas. Bárbara las llama sus "citas permanentes". A menos que esté de vacaciones o en el hospital, Clara siempre tiene una cita permanente a las 10:00 a.m. todos los martes. Luisa está ahí todos los lunes al medio día, y en seguida llega Maribel, a la 1:00. Cada semana, Bárbara les lava el cabello, les hace rizos, o se los corta, se los pinta (si hace falta), se los peina y, como toque final, usa muuuuucho fijador en aerosol. Entre una y otra cita, las señoras simplemente se retocan el cabello, y se aplican fijador para mantener intacto su peinado hasta su siguiente visita al salón de belleza. Todo se sale control cuando Bárbara sale de vacaciones y a las señoras les da un ataque de pánico por tener que encontrar soluciones temporales.

Mi esposo quedó muy sorprendido cuando le expliqué ese ritual semanal del que su propia madre había participado por décadas. Él no podía comprender la idea de no lavarse el cabello más que una vez a la semana, pero le expliqué que eso es lo que hacen muchas personas de la iglesia. Van a la iglesia el domingo a recibir su limpieza semanal y después no vuelven a pensar en Dios hasta el siguiente domingo.

Sin embargo, Dios tiene un libro de citas con citas permanentes para cada una de nosotras: no solamente una vez a la semana, sino todos los días. Él está esperando poder limpiar y embellecer nuestra alma cada mañana. Para ayudarte a recordar la importancia de esta reunión con Dios, hice un acróstico con la palabra CITA. Mantener nuestra CITA con Dios de forma constante es la única manera de ver resultados duraderos del tratamiento de belleza total.

C — Comprométete a pasar tiempo con Dios

En mi oficina tengo dos jarrones idénticos. Uno de ellos está lleno tres cuartas partes con arena. El otro contiene piedras del tamaño de un puño. El jarrón con arena representa mis actividades de todos los días: mis cosas pendientes, las compras en el mercado, los proyectos para la comunidad, la limpieza de la casa, etc. La lista es interminable al igual que los granos de arena. El otro jarrón que contiene las piedras grandes representa lo que Dios quiere que yo haga todos los días: pasar tiempo con él, estudiar su Palabra y orar; es decir, mi tratamiento de belleza diario.

Si primero lleno el jarrón con piedras grandes, sorprendentemente yo puedo volcar toda la arena del otro jarrón en el que tiene las piedras, y la arena se acomoda sin problema alguno entre los escondrijos y las hendiduras de las piedras. Pero si empiezo al contrario, llenando el jarrón con arena y después trato de meter las piedras entre la arena, simplemente no habrá lugar para todas.

Lo mismo sucede cuando empiezo mi día con Dios (las piedras); todo lo demás (la arena) parece encontrar su lugar. Pero si salto de la cama y empiezo primero a hacer todas las cosas que, a mi parecer, son muy necesarias, nunca tendré lugar en el día para mi tiempo con Dios.

Esos dos jarrones en mi oficina me recuerdan que debo mantener mis prioridades en orden y empezar cada día con las piedras grandes. Este no es un mandato legalista que yo me impuse. Es un privilegio tener una audiencia con el Rey de reyes. Los jarrones me ayudan a recordar que Dios está esperando que yo me presente a mi cita con él.

Jesús le dijo a Marta: "Marta, Marta, te afanas y te preocupas por muchas cosas. Pero una sola cosa es necesaria. Pues María ha escogido la buena parte, la cual no le será quitada" (Lucas 10:41, 42). María empezó su día con las piedras grandes. Sin duda, Marta empezó su día con la arena. La Biblia nunca nos dice cómo eran Marta y Maria físicamente, pero en mi mente yo siempre he imaginado a Marta enojosa y con una cara larga, y a María, hermosa y amable. No sé por qué. Todo lo que nos dice la Biblia es que una se pasó el tiempo a los pies de Jesús y la otra se pasó el tiempo en la cocina. Y si lo pensamos bien... ahí está la respuesta.

I — Instituye un horario específico a diario

Aceptémoslo, somos criaturas de hábito: si podemos establecer una hora en específico para reunirnos con Dios todos los días, habrá mayores posibilidades de no faltar a nuestra cita. Cuando Jesús les enseñó a sus discípulos a orar, dijo: "El pan nuestro de cada día, dánoslo hoy". David y Nehemías, ambos buscaban al Señor "día y noche", no sólo cuando estaban en alguna necesidad. Dios suplió el maná a los israelitas cada mañana (excepto en el sábado). Algunos israelitas trataron de recoger comida extra para no tener que recoger al día siguiente pero, a la mañana siguiente, encontraron sus platos llenos de gusanos. Dios quiere que lo busquemos para darnos nuestro pan de cada día, no semanal o bianual.

Algunas personas me dicen que tienen su tiempo con Dios cuando van en camino a su trabajo, en su coche o en el de alguien más, o durante su hora de comida. Esto lo comparo con ir a un restaurante de cinco estrellas, ordenar varios platos, y pedirle al mesero que lo ponga todo en una bolsa para llevar.

El mejor momento para que yo visite la clínica de belleza de Dios es por la mañana, antes de que la tiranía de lo urgente me empiece a llevar por diferentes direcciones. Cuando paso un tiempo con Dios por la mañana, él me ayuda a ordenar mi día y a mantener su perspectiva sobre lo que está sucediendo a mi alrededor.

En Marcos 1:35 vemos que Jesús también empezaba sus días en comunión con su Padre: "Muy de madrugada, cuando todavía estaba oscuro, Jesús se levantó, salió de la casa y se fue a un lugar solitario, donde se puso a orar" (Nueva Versión Internacional). Es interesante ver que en el siguiente versículo Marcos describe una escena donde los discípulos andaban buscando a Jesús. Al parecer, la gente del pueblo donde Jesús había estado el día anterior, suplicaba que él regresara para sanar a más personas. Los discípulos le dijeron: "Todo el mundo te busca. Salgamos de aquí —respondió Jesús— a otras aldeas cercanas donde también pueda predicar; para esto he venido" (versículos 37, 38, Nueva Versión Internacional).

Jesús acababa de estar con su Padre y recibió de él las órdenes sobre qué hacer ese día. Jesús podía decir sí o no con confianza porque él sabía lo que su Padre había planeado para ese día. ¿Hubiera sido bueno regresar a Capernaúm y sanar a más gente? Sí, pero no hubiera sido lo mejor en los planes que Dios tenía para Jesús en aquel día.

No sé tú, pero a partir de las 8:30 de la mañana mi teléfono no deja de sonar con todo tipo de peticiones y solicitudes para mí. Si primero paso un tiempo con Dios, entonces tengo la capacidad de establecer mis prioridades para ese día y decir sí o no con toda confianza. En mi libro *A Woman's Secret to a Balanced Life* (El secreto de una mujer para tener una vida equilibrada), hago mención de esta misma idea de tener una CITA con Dios todos los días. Yo no estaba muy dispuesta a decir que la CITA debía llevarse a cabo por la mañana pues comprendo las dificultades de una madre con un bebé, o de la mujer que trabaja el turno nocturno, o de la persona que tiene que salir de su casa a las 5:30 a. m. para llegar a su trabajo.

Sí, yo sé que es más importante tener un tiempo con el Señor que la hora en la que tenemos ese tiempo con él. Sin embargo, voy a dejar que Bruce Wilkerson, autor de *La oración de Jabes*, nos dé su opinión:

> Algunos cristianos que conozco tratan de tener un tiempo especial y personal con Dios justo antes de irse a dormir. Sin embargo, yo aún no he encontrado a algún líder espiritual respetado a través de la historia que haya tenido ese tiempo devocional con Dios de noche. A menos de que usted se levante temprano, no logrará profundizar más su relación con Dios. Disponga de bastante tiempo y de un lugar privado donde pueda leer y escribir con comodidad, pensar, estudiar y hablar con Dios en voz alta, y hasta llorar si así lo requiere… Para llegar a permanecer en él, yo debo ampliar el tiempo que le dedico; es decir, llevarlo desde comenzar con una cita por la mañana a estar consciente de su presencia todo el día[1].

David escribió: "Oh SEÑOR, de mañana oirás mi voz; de mañana me presentaré ante ti y esperaré" (Salmo 5:3).

Hay estudios que muestran que algo se vuelve un hábito después de siete semanas de repetirlo rutinariamente. Determina una hora específica todos los días para compartir con el Señor y apégate a ese horario durante siete semanas. Una vez que hayas establecido tu cita permanente, será más probable que no faltes. Además ¡habrás adquirido un hábito increíble y que cambiará tu vida!

T — Toma tiempo para orar

Cuando decidí tener una cita permanente con Dios todos los días no estaba muy segura de lo que iba a hacer exactamente durante ese tiempo con él así que leí lo que Jesús hacía. Primero noté que Jesús pasaba su tiempo en oración.

Durante los diez años que trabajé en el ministerio "Proverbios 31", mi hijo siempre supo dónde encontrarme. Una noche, él me estaba buscando y a la primera persona a quien llamó fue a mi compañera de ministerio a su teléfono celular. Él sabía que yo estaría con Lisa o que ella sabría dónde me podía encontrar. De la misma forma, cuando los discípulos de Jesús lo estaban buscando en Marcos 1:35, ellos supieron dónde buscarlo. Él estaba con el Padre en oración.

Algunos de los mejores momentos en la vida de un cristiano son el resultado de pasar tiempo en oración. Jesús pasó toda la noche orando antes de escoger a sus discípulos (Lucas 6:12). Él venció las tentaciones de Satanás después de haber orado y ayunado por 40 días (Mateo 4:1-11). Antes de realizar sus milagros, Jesús oraba (Juan 11:41-43), y la oración también le dio la fuerza para ir a la cruz (Lucas 22:39-43). Jesús nos mostró cómo tener mucho más que una vida de oración. Nos mostró cómo vivir en oración.

Los discípulos observaron el poder que venía después de que Jesús pasaba tiempo con Dios en oración, y le pidieron que les enseñara a orar. Él les dio siete pasos simples, conocidos como "El Padrenuestro" (Mateo 6:9-13):

1. *Padre nuestro que estás en los cielos:* reconoce que eres hija de Dios y que él es tu Padre todopoderoso con quien tienes una relación personal.

2. *Santificado sea tu nombre:* exalta a Dios por quién es él y por la santidad de su nombre y de su carácter.

3. *Venga tu reino, sea hecha tu voluntad, como en el cielo así también en la tierra:* ora para que se haga su voluntad en tu vida y en la vida de aquellos por quienes estás intercediendo. Orar la Palabra de Dios es orar la voluntad de Dios.

4. *El pan nuestro de cada día, dánoslo hoy:* ora diariamente por tus necesidades.

5. *Perdónanos nuestras deudas, como también nosotros perdonamos a nuestros deudores:* confiesa tus pecados y pídele a Dios que te perdone. También perdona a aquellos que te han ofendido.

6. *Y no nos metas en tentación, mas líbranos del mal:* ora pidiendo protección contra el mundo, la carne y el demonio.

7. *Porque tuyo es el reino, el poder y la gloria por todos los siglos:* nuevamente exalta a Dios. Él es el eterno Rey de reyes y su reino no conoce el fin. Él es omnipotente, omnisciente y omnipresente. Amén.

En su libro *Mi experiencia con Dios*, Henry Blackaby escribe: "La oración no es el sustituto del trabajo. Es el trabajo mismo"[2]. El objeto de la oración no es cambiar la manera de pensar de Dios, sino el alinear nuestra manera de pensar con la de Dios y darnos el poder necesario para cambiar el mundo.

Recuerda esto, querida hermana: Satanás sabe bien que las vidas *sin oración* son vidas *sin poder* y *sin protección*. Él va a intentar distraerte de cualquier manera que tenga a su alcance. Cuando te sientes a orar, tal vez suene el teléfono o aparezcan en tu mente misteriosamente diez cosas más que agregar a tu lista de cosas pendientes, o tal vez sientas los ojos muy cansados, o quizás las demandas y las preocupaciones del día empiecen a presionarte y a invadir tu tiempo; pero no permitas que el enemigo gane. La oración es la herramienta del tratamiento de belleza que convierte las preocupaciones en tranquilidad, el caos en calma y a los cobardes en conquistadores. Mantén tu cita en oración. Te sorprenderás al ver cómo ese tiempo será como el aceite que ayuda a que las llantas de tu día rueden con suavidad.

A — Analiza la Palabra de Dios

Si vas a tu buzón de correos y sacas cuatro correspondencias: una carta de la tía Susana, la cuenta de la compañía de teléfono, propaganda de la tienda y una carta de Dios, ¿cuál abrirías primero? No sé tú, pero yo abriría esa carta de Dios ¡más rápido que como un niño de dos años abre su regalo de Navidad! La verdad es que Dios nos ha enviado una hermosa carta de amor llena con tesoros para darnos ánimo, palabras de cariño, instrucciones para tener poder y secretos de belleza para hacernos hermosas de adentro hacia afuera. Todo lo que tenemos que hacer es abrir la Biblia y comprometernos.

Matthew Henry dijo que la oración es una carta que enviamos a Dios; la Biblia es una carta que Dios nos ha enviado. Una forma que tiene Dios para comunicarse con nosotros es mediante las palabras de la Biblia.

En 2 Timoteo 3:16, 17 leemos: "Toda la Escritura es inspirada por Dios y es útil para la enseñanza, para la represión, para la corrección, para la instrucción en justicia, a fin de que el hombre de Dios sea perfecto, enteramente capacitado para toda buena obra". Cuando lees la Palabra de Dios y la guardas en tu corazón, tú entonces te estás equipando para los días venideros. Me encanta como lo dice 1 Pedro 1:13: "ceñid los lomos de vuestro entendimiento". Cuando veo la palabra "ceñir" pienso de inmediato en la antigua faja de mi abuela. La faja la mantenía en línea, la mantenía de pie y ella jamás salía de su casa sin ella. De la misma forma, nosotras no deberíamos salir de casa sin ceñir nuestro entendimiento para la acción.

Cuando me siento bajo presión, muchas veces tengo estos tres sueños: en uno estoy en la escuela secundaria. Es el día de exámenes finales pero me doy cuenta de que no fui a esa clase en todo el año. En mi segundo sueño estoy trabajando como higienista dental y tengo a un paciente en la silla, y cinco más esperando en la sala. Llevo dos horas de retraso y no puedo encontrar el instrumental. En mi tercer sueño estoy de pie detrás de un podio en un auditorio repleto. No estoy vestida con un traje apropiado sino vestida como llegué al mundo. Después de reflexionarlo, me di cuenta que cada una de estas pesadillas tienen que ver con no estar equipada o no estar preparada.

La Biblia está diseñada para llevarnos hacia Dios y para que tengamos un andar más cercano con él. Al caminar a su lado, podremos sentir su poder en nuestra vida. Él lleva a cabo el tratamiento de belleza y transforma la derrota, el desánimo, la desesperación, la duda, el temor y la depresión en amor, gozo, paz, paciencia, benignidad, bondad, fe, mansedumbre y dominio propio. Todo es parte del gran cambio.

En mi libro *Becoming a Woman Who Listens to God* (Cómo ser una mujer que escucha a Dios) comparto esta analogía para acercarnos a la Palabra de Dios:

> Un verano fui a Europa y visité muchos museos de arte. Recuerdo caminar por los pasillos del *Louvre* en París dándole un vistazo rápido a una obra maestra y luego a otra. Finalmente decidí detenerme a ver una pintura en particular. Ni siquiera recuerdo cuál era. Mientras más miraba la pintura más me daba cuenta de que estaba

oscura en un lado e iba aclarándose hacia el otro. Noté las expresiones de las caras, el anhelo de un niño, el dolor de un hombre, una nube que se acercaba en el cielo, la apariencia de la ropa, los pies descalzos, una túnica desgarrada, un puño cerrado. La historia se desenvolvió frente a mis ojos y fue como si yo empezara a ver en el corazón del artista.

Eso me recordó la manera en que algunas personas leen la Biblia; como si estuvieran dando un vistazo rápido en una galería de arte, y sin nunca detenerse a ver lo que el artista intentó expresar en esas grandiosas obras maestras colgadas una al lado de la otra sobre las majestuosas paredes. Así como nos paseamos rápidamente por una galería de arte, así tomamos la Biblia, leemos unos cuantos versículos antes de salir corriendo por la mañana o antes de cerrar los ojos por la noche.

Sin embargo, la Palabra de Dios es una obra maestra y él habla a través de cada pincelada de la pluma del escritor. ¡Oh, cuántos tesoros guardados en cada página que sólo esperan a ser descubiertos![5].

A. W. Tozer dijo una vez:

Cada granjero conoce el hambre de la tierra árida. El hambre que ninguna maquinaria moderna, ni los métodos agrícolas más avanzados pueden destruir completamente, sin importar qué tan bien preparado esté el suelo, o qué tan bien puestas estén las vallas, o qué tan bien pintados estén los edificios, si el dueño deja de atender sus preciados acres de tierra, se convertirán de nuevo en el mundo

salvaje de antes y serán tragados por la jungla o por el
tiradero de basura. La tendencia de la naturaleza es el
yermo y jamás un campo fructífero[4].

Si deseamos cultivar el fruto del Espíritu en nuestra vida, no
podemos dejar nuestra vida espiritual a la suerte, sino que debemos
alimentar nuestra relación con Cristo. Si nos comprometemos a pasar
un tiempo con Dios cada día, si instituimos una hora específica, si nos
damos tiempo para orar y si analizamos la Palabra de Dios, crecere-
mos más hermosas todos y cada uno de nuestros días.

Cómo empezar

Si aún no tienes el hábito de pasar un tiempo con Dios todos los
días, quiero animarte a que empieces con objetivos realistas en mente.
Empieza cinco minutos al día: tres minutos para leer la Biblia y dos
minutos para orar. Después aumenta el tiempo a quince minutos al día:
ocho minutos para leer la Biblia y siete para orar. Si el concepto de
pasar un tiempo a solas con el Señor es algo nuevo para ti, el asignar
toda una hora todos los días podría ser una invitación al fracaso.
Empieza despacio. Así como una persona que no ha comido bien a
causa de alguna enfermedad debe empezar comiendo pequeños boca-
dos a la vez, así también tú tal vez necesites empezar a ingerir
pequeñas porciones de la Palabra de Dios. Una vez que empieces a
deleitarte en la Palabra de Dios y a complacerte en su presencia, los
beneficios y la belleza que vendrán serán todo el aliciente que necesi-
tarás para visitar la clínica de belleza de Dios con frecuencia.

Quizás tú has tratado muchas veces de empezar a tener un tiempo con Dios todos los días, pero has cancelado tus citas. Por favor, no
te desanimes. Acércate a Dios, y él se acercará a ti (Santiago 4:8).
"'Volveos a mí' ha dicho el SEÑOR de los Ejércitos, 'y yo me volveré
a vosotros'" (Zacarías 1:3).

Resultados deslumbrantes
Une todas
las piezas

Había estado hablando toda la mañana en un retiro espiritual para mujeres y recibí con mucho agrado el descanso de una hora para ir a comer y poder descansar mis pies y mi voz. Lisa, la directora del ministerio de mujeres, fue muy atenta y me hizo compañía mientras yo comía una ensalada y tomaba un té helado. Ella era una mujer hermosa con un corte de pelo a la moda, una sonrisa cautivante y una personalidad efervescente que burbujeaba con Jesucristo. Su traje azul brillante acentuaba el azul aguamarina de sus ojos, y sus zapatos que hacían juego le daban el toque final a una mujer que parecía tener todo en la vida. Era evidente, por todos los abrazos y palmaditas en la espalda que Lisa recibió, que ella era la mentora espiritual y confidente de muchas mujeres de la iglesia.

Entonces le pregunté: "Lisa, cuéntame tu vida, ¿cómo llegaste a Cristo?".

Te diré que yo jamás hubiera pensado estar preparada para lo que escuché en los siguientes 30 minutos. Prepárate para escuchar su historia.

"Sharon, yo nací en una familia con tres hermanos varones

mayores que yo. No recuerdo mucho de mis primeros años de vida, pero una de las memorias que guardo de mi infancia es la de un día cuando yo tenía cinco años de edad y estaba parada en un puente pensando: *'Si me cayera de este puente al río y desapareciera, a nadie le importaría'*. Siempre sentí que había algo mal en mí, como si fuera una inadaptada o fuera de lo normal.

"Recuerdo a mi madre diciéndome: '¿Qué pasa contigo?'.

"Por ser pequeña yo pensaba: *'¡No lo sé, pero sí sé que debe ser algo!'*. Me sentía mal hasta en mi propia piel, como si yo fuera rara o anormal.

"Cuando cumplí trece años tomé mi primera copa de vino. De hecho, me acabé tres botellas de una vez. Se sintió bien. Yo me sentí bien. Todas mis inseguridades se esfumaron. Perdí mi virginidad a los catorce y fumé marihuana por vez primera ese mismo año. Por los siguientes 28 años, fui tras de todo y de todos para tranquilizar mi dolor, ya fuera comida, hacer ejercicios, ir de compras, hombres, alcohol, drogas. Yo trataba de conseguir cualquier cosa que me transportara a un mundo diferente por un rato y así llenar el vacío que había en mi alma.

"Después de terminar la escuela secundaria trabajé para un bufete de abogados en Washington, D.C. Pero no duré mucho porque me despidieron por falsificar documentos. Después de eso, tomé un trabajo de cantinera. Mi abuso del alcohol y drogas empezó a escalar, y yo empecé a caer en picada. Me fui a vivir con un hombre que me golpeaba constantemente y yo sentía que me lo merecía.

"Una noche llegué al fondo y traté de suicidarme con pastillas para dormir. Por alguna razón llamé a mi mamá para despedirme y ella llamó al escuadrón de rescate. Aunque estuve un tiempo en un hospital psiquiátrico, cuando salí de ahí estaba tan perdida, confundida y desesperada como cuando la ambulancia me había llevado allí.

"La cocaína es muy cara y yo necesitaba alguna manera de poder continuar con mi hábito, así que me dediqué a la prostitución en las

calles de Washington, D. C. Con cada episodio moría una parte de
mí. Muy pronto quedé insensible a todo eso. Sorprendentemente, un
día me arrestaron por dar cheques sin fondos y no por prostitución.
Mi abogado me sacó de la cárcel y me metió en un programa de
recuperación. Ese fue el principio de un largo camino hacia la recuperación, pero la razón por la que hoy estoy viva es porque conocí a
alguien. No fue un abogado, o un mentor, ni tampoco el hombre de
mis sueños. Su nombre es Jesucristo y él es quien me liberó".

Yo me quedé con un bocado atorado en la garganta, lágrimas en
los ojos, y un gran amor por mi Salvador que me golpeaba en el
corazón. Yo había hecho una simple petición: "Cuéntame tu vida".
Jamás había comido un almuerzo tan delicioso y que me llenara de tal
forma en toda mi vida.

¿Qué le había pasado a Lisa exactamente? ¿Cómo transformó
Dios a una prostituta alcohólica, adicta a la cocaína en una mujer cristiana amorosa, santa y pura que está tan llena del Espíritu Santo que
este brota y se derrama sobre toda persona con quien ella se relaciona?
Lisa conoció al "Artista de las Transformaciones de Belleza" y se hizo
el tratamiento de belleza total. Ella es la primera en decirte que ha sido
un proceso largo y arduo, pero el fuego del refinador ha producido
una mujer hermosa por dentro y por fuera.

De eso precisamente se trata el tratamiento de belleza total: de
muerte a vida, de oscuridad a luz, de rechazo a amor.

Una joya que no tiene precio

Para celebrar nuestro 25º aniversario, Steve y yo nos fuimos a
Alaska en una excursión por tierra y por mar. El panorama era cauti-
vador conforme viajamos desde las cumbres nevadas del Monte
McKinley, por las majestuosas masas de hielo de la Bahía Glaciar,
hasta la tundra de las tierras bajas cubierta por flores silvestres.

Larry y Cynthia Price, nuestros buenos amigos de la universidad,
hicieron el viaje con nosotros y, de hecho, eso fue lo mejor del viaje.

La primera parte de la excursión fue por tierra y la segunda fue por mar. Mientras estábamos en el crucero, desembarcamos en diferentes aldeas de pescadores de Alaska para pasear por las tiendas y conocer más de la vida de la Alaska civilizada. Cuando el barco ancló en Juneau, parecía como si todos hubieran perdido las ganas de deambular por los alrededores y prefirieron quedarse en el barco toda la mañana. Pero yo no. Me puse unos pantalones de mezclilla y mi calzado deportivo, y tomé una tarjeta de crédito y mi identificación. Y me lancé a explorar las tiendas y hacer lo que hago mejor… buscar ofertas.

"Creo que voy a buscar una piedra fina para mi collar de oro", pensé. *"Todo el mundo dice que las gemas de aquí son hermosas"*.

Vi un comercio con un letrero con letras rojas brillantes, que llamó mi atención: "Ofertas de fin de año". Si hay algo que soy es ser ahorrativa; así que decidí que ese era mi tipo de comercio.

Entré a Diamantes Internacional con un propósito en mente: hacer un buen negocio. De inmediato me sentí un poco fuera de lugar con mi indumentaria. La prístina sala de exhibición con candelabros de cristal, los vendedores con elegantísimos trajes, y los mostradores de cristal reluciente donde tenían las joyas, no daban la impresión de un comercio de descuento o de saldos, pero su letrero decía…

—¿En qué puedo ayudarla? —preguntó Gretchen. Una vendedora elegante con acento europeo deslizó con delicadeza su manicurada mano a través del mostrador de vidrio.

—¿Está buscando algo en particular?

—Sí —le contesté—. Estoy buscando una piedra fina para mi collar.

—Por aquí, por favor —dijo ella mientras se deslizaba con elegancia al otro lado de la sala de exhibición.

—¡Oh!, me gusta esa —dije inmediatamente—. ¿Cuánto cuesta?

—Su precio normal es de 83, pero el precio de oferta es de 43.

De repente recordé que yo tenía un cupón de descuento para ese comercio en el barco, pero no podía recordar los detalles del descuento.

—Tengo un cupón en el barco. ¿Necesito ir por él?

—No es necesario —contestó ella—. Se lo haremos válido.

Después sacó su calculadora, empezó a apretar botones y entonces bajó el precio.

—¿Está celebrando alguna ocasión especial como su cumpleaños o aniversario? —preguntó.

—Sí, es nuestro 25° aniversario.

—Aún mejor. Le podemos dar un precio mucho mejor.

¡Yo empezaba a emocionarme a medida que el precio seguía bajando! Entonces se acercó el gerente.

—Buenos días, señora —dijo él—. ¿Lleva mucho tiempo viendo esta piedra?

—¡Oh, no! —le respondí—. Hace unos minutos la vi y ya decidí que me gusta.

—Le digo una cosa —continuó él—. Le voy a dejar esta gema en 27, si usted me promete usarla esta noche y decirle a todo el mundo el lugar y el buen precio por el que la adquirió.

—Me parece un muy buen negocio —dije yo—. Cerremos el trato.

Saqué mi tarjeta de crédito del bolsillo de mis pantalones y la piedra fue mía. Mientras Gretchen hacía el cargo a mi tarjeta de crédito, el dueño de la tienda llenaba el certificado de autenticidad. Me pareció un poco extraño que llenara estos documentos por una cantidad tan pequeña, pero ¿qué sabía yo de eso? Tomé mi compra, la metí en el bolsillo de mi blusa y continué mi búsqueda en otras joyerías.

"Creo que voy a comprarme unos aretes que hagan juego", pensé. Mientras iba de tienda en tienda, reconocí el buen negocio que había hecho en la joyería Diamantes Internacional, así que decidí regresar para hacer otra compra. Las rebajas y las ofertas siguieron el mismo patrón anterior. Ellos me dieron el precio normal, luego su precio de

descuento, y luego un precio más bajo por ser yo tan especial para su negocio. ¿Precio total? Veintidós. Me pareció bien.

Después se hizo el mismo proceso: le di mi tarjeta de crédito a la vendedora y el gerente llenó el certificado de autenticidad. Pero noté una pequeña diferencia en el recibo antes de firmarlo.

—Disculpe, señorita. Usted cometió un error —le dije cuando me dio el recibo—. El recibo dice que el cargo es de 2.200 dólares en lugar de 22 dólares.

—El cargo está correcto —contestó ella.

—No, usted dijo 22 —le dije con un tono de voz que de repente subió dos octavos—. ¡Usted nunca usó la palabra mil*!

—Oh no, *mademoiselle*. Los aretes cuestan 2.200 dólares.

Dejé caer el recibo como si de repente estuviera en llamas.

—No los quiero. ¡Hubo un malentendido!

Entonces me invadió un sentimiento aplastante cuando puse la mano en mi bolsillo y palpé mi compra anterior.

—¿Entonces cuánto fue lo que pagué hace una hora? —le pregunté mientras sacaba la piedra de mi bolsillo.

—2.700 dólares —contestó ella.

—¡Yo pensé que eran 27 dólares! —le dije chillando— ¡Usted nunca dijo la palabra mil! ¡Ni una sola vez!

Afortunadamente, ellos aceptaron que yo devolviera la piedra y me acreditaron el dinero a mi cuenta. Corrí de regreso al barco tan rápido como pude y me prometí ¡nunca más ir de compras sin compañía! (por lo menos en Alaska). ¿Te puedes imaginar si yo hubiera regresado a casa, viera mi estado de cuenta de la tarjeta de crédito y viera un cargo por 4.900 dólares en lugar de 49 dólares? ¡Ay, Señor! Steve llama cariñosamente a ese día: "el día que fui a Juneau, Alaska, y me gasté la herencia de nuestro hijo".

Cuando regresamos a casa, le conté la historia a Steven. Él no se

---

* En inglés hay un juego de palabras intraducible entre 22 y 22 *hundred*. (Nota de la editora).

rió como los demás. Se quedó mirándome atónito y me dijo:

—Mamá, ¿no te diste cuenta de las señales?

—¿Como qué?

—Como que estabas en una joyería que se llamaba DIAMANTES Internacional. Que la piedra estaba montada en ORO DE 24 KI-LATES y que tenía DIAMANTES alrededor.

—¡Sí, pero eran diamantes muy pequeñitos!

—El gerente llenó el certificado de AUTENTICIDAD. Él no lo hubiera hecho por 27 dólares.

—Pero era una oferta de fin de temporada…

Steven sólo me miró y sacudió la cabeza.

¿Sabes?, ¡él tenía razón! Todo el tiempo hubo indicios de que la piedra valía mucho más que 27 dólares, y aún así me negué a darle importancia a esos indicios.

Mi querida amiga, tú eres de gran valor para Dios. ¿Has puesto atención a los indicios? Eres su tesoro más preciado. No hay oferta especial, ni promoción de fin de año, ni cupón de descuento cuando se trata de tu valor como hija de Dios. A través de nuestra vida, Dios nos da indicios sobre nuestro valor. La belleza de un atardecer, el sonido tranquilizante del arrullo de un bebé, la dulzura de una fruta fresca, la calidez de un abrazo, el consuelo de una llamada telefónica, la respues-ta a una oración, el sacrificio de su Hijo. Dios te ama y te valora tanto que él permitió y propuso que su Hijo unigénito, a quien él amaba, muriera en una áspera cruz romana para pagar el precio de tus peca-dos de modo que tú pudieras pasar la eternidad con él. Él no tenía por qué hacer eso. Pero lo hizo por el gran valor que tienes para él.

Aquí te doy otro indicio o pista del valor tienes para él… este libro. Yo creo que la razón por la cual estás leyendo este libro es porque Dios te está dando otro indicio de su gran amor por ti y del valor que tienes para él. Él te ha dado una nueva identidad. Tú has sido redimida, restaurada y renovada. Has sido comprada… toda venta es final y no hay devoluciones.

Uniendo las piezas

Por naturaleza, soy una persona muy organizada. La mayoría de los días pasan sin interrupciones. Mis archivos están separados por colores, mis especias están en orden alfabético, y solamente he perdido las llaves de mi auto dos veces en toda mi vida. Cierta vez alguien me pidió que escribiera un libro sobre organización para ayudar a las mujeres a encontrar orden entre tanto caos pero, a decir verdad, yo no sé lo que hago. Es que yo nací así. Probablemente empecé organizando los instrumentos quirúrgicos del doctor y enderezando su mascarilla minutos después de que cortó mi cordón umbilical y me dio una nalgada.

Tenemos la tendencia a aprender a través de las luchas y pruebas de la vida, y no a través de lo que llega fácil. Te puedo asegurar que así es como aprendí sobre el tratamiento de belleza total: a través del fuego de la refinación. Yo he vivido lo que dice cada página de este libro. Permíteme llevarte a donde empezamos en el capítulo 1: a la niña que estaba cautiva por los sentimientos de inferioridad, inseguridad e inadecuación.

"Desde los catorce hasta después de mis treinta años de edad, siempre sentí que algo andaba mal en mi lado espiritual. Era como si yo hubiera llegado al cine cuando la película ya tenía veinte minutos de haber empezado, y yo debía pasar el resto del tiempo intentando entender de qué se trataba. Me preguntaba el porqué de mi lucha por llevar una vida cristiana victoriosa. Tenía un esposo maravilloso, un hijo excepcional y una vida familiar feliz. Era maestra de estudios bíblicos en una iglesia basada sólidamente en la Biblia, y me había rodeado de amistades cristianas. Sin embargo, me faltaba algo: no sabía quién era yo. No comprendí el cambio que sucedió en mi ser en el momento en que me entregué a Cristo. Yo no entendí cuál era mi verdadera identidad como hija de Dios".

Un día tomé un libro escrito por el doctor Neil Anderson, *Victoria sobre la oscuridad*, y leí una lista de lo que yo era en Cristo. Fue en ese momento cuando empezó mi sed por entender esta verdad. He pasado diez años en la clínica de belleza de Dios, aprendiendo lo que dice la Biblia sobre quién soy, qué tengo y dónde estoy en Cristo. Me di cuenta de que el enemigo había declarado una guerra sin tregua para evitar que yo me convierta en la mujer que Dios tenía planeado, y empecé a luchar con la espada del Espíritu… la Palabra de Dios. Regresé al campamento enemigo y recuperé lo que me había sido robado. Ya no iba a ser aquella pequeña de primer grado sentada en el furgón de cola del tren de la clase que pensaba que era estúpida o que nadie la quería. Esas eran mentiras, sólo mentiras. La Biblia me decía que yo tenía la mente de Cristo y todo lo que necesitaba para una vida de santidad y verdad. Yo elegí creerlo. Ha sido un proceso tedioso el cambiar mi vieja manera de pensar, pero el Espíritu Santo renueva mi mente cada vez que estudio la Palabra de Dios.

Puedo escribir sobre la transformación de la confianza propia porque he visto cómo Dios tomó a una niña insegura como yo y la transformó en alguien que sabe lo que Dios puede hacer a través de una vida totalmente entregada a él. Puedo escribir sobre tener fe porque he visto la diferencia que existe cuando creemos que Dios dice la verdad. Puedo escribir sobre dejar el pasado atrás porque he ido dejando mucho equipaje a lo largo del camino, y nunca he regresado a recogerlo. Puedo escribir sobre un cambio de guardarropa porque yo me quedé sentada por muchos años con la misma desesperación y vergüenza de Tamar, pero me regocijé cuando finalmente acepté el manto de princesa de mi Redentor. Puedo escribir sobre una exfoliación de los viejos patrones de carne muerta porque aún sigo en el proceso de frotarlos para quitarlos de mi vida a diario.

Querida hermana, anhelo poder estar junto a ti en este momento. Este libro es una parte muy grande de mi vida. No es mi primer libro, pero sin el mensaje del tratamiento de belleza total, nunca habría habido otros antes de o después de este. ¡Cómo he anhelado tomar tu mano y llevarte a la clínica de belleza de Dios para que vivas el tratamiento de belleza total! Gracias por acompañarme. Ya puedo sentir la belleza de Cristo brillando a través de tu cara conforme vas reflejando su gloria. Tú eres hermosa, querida mía. Absolutamente radiante.

"Y nosotros no tenemos ningún velo que nos cubra la cara. Somos como un espejo que refleja la grandeza del Señor, quien cambia nuestra vida. Gracias a la acción de su Espíritu en nosotros, cada vez nos parecemos más a él" (2 Corintios 3:18, La Biblia en Lenguaje Sencillo).

Limpieza profunda
Estudio bíblico

Lección uno: ¿Cuál es tu historia?

1. Todas tenemos una historia. En esta lección introductoria, considera decir o escribir tu historia. Si esto es algo que nunca antes habías considerado, responde las siguientes preguntas. Tal vez quieras dibujar una línea de tiempo y marcar en ella los eventos clave de tu vida.

 • ¿Dónde y cuándo naciste?

 • Describe a tu familia durante tus años de infancia y adolescencia.

 • ¿Cuándo fue la primera vez que recuerdas haber escuchado de Jesús?

 • ¿Quién fue la persona de mayor influencia en tu despertar espiritual?

 • ¿Cuándo creíste por vez primera que Jesús era el Hijo de Dios que murió por tus pecados y resucitó para que pudieras tener vida eterna?

- ¿Cómo cambió tu vida esa decisión?

- ¿Cómo has crecido en tu relación con Cristo desde aquel momento?

- ¿Cuáles han sido los momentos de mayor crecimiento y cuáles los momentos de mayor lucha? (Bien pueden ser los mismos).

- ¿En qué estado se encuentra tu vida espiritual hoy en día? (Ejemplo: creciendo, aprendiendo, floreciendo, luchando, cuestionándote).

2. Sin importar dónde te encuentres en tu caminar espiritual, todas estamos en el proceso del tratamiento de belleza total. Dios nos cambiará en la medida en que nos entreguemos a él. Lee el siguiente relato de Jesús en la fiesta bodas en Caná (Juan 2:1-11).
   a. ¿Cuál era el problema?

   b. ¿Cuáles fueron las instrucciones de María para los sirvientes? (versículo 5).

   c. ¿Cuáles fueron las instrucciones de Jesús para los sirvientes? (versículo 7).

   d. Suponiendo que los sirvientes hubieran llenado las jarras a la mitad, ¿qué cantidad hubiera Jesús convertido en vino?

   e. ¿Cuánto de tu mente, de tu voluntad y de tus emociones deseas que Jesús transforme? ¿Estás dispuesta a vivir una transformación total y ser llenada hasta el borde con Cristo?

Lección dos: Todo empezó
en el jardín del Edén

1. Lee Génesis 1:20—2:7 y observa la diferencia entre cómo Dios creó a los animales y cómo creó al hombre. ¿Qué es lo que hizo que el hombre fuera único?

2. Lee Génesis 2:17 y nota el castigo por comer del árbol del conocimiento del bien y del mal.

3. ¿Qué dice Efesios 2:1 respecto a cómo éramos antes de aceptar a Cristo?

4. Lee Mateo 23:27, 28. ¿En qué se asemeja una persona espiritualmente muerta que aparenta ser "religiosa" a los *"sepulcros blanqueados"*?

5. ¿Cómo entró el pecado al mundo? ¿A través de quién? (Romanos 5:12-14).

6. ¿Cómo tenemos disponible la vida espiritual? ¿A través de quién? (Romanos 5:15-19).

7. Así como el pecado entró al mundo en el jardín del Edén cuando el hombre decidió desobedecer, ¿dónde se ganó la victoria cuando Jesús decidió obedecer? (Mateo 26:36-42).

8. ¿Qué te dicen estos dos versículos respecto al porqué de la venida de Cristo? (Juan 10:10; 1 Juan 3:9). ¿De qué manera has visto realizado su propósito en tu vida?

9. Si hubieras estado junto a Nicodemo la noche en que Jesús le dijo: "Tienes que nacer de nuevo", ¿cómo hubieras explicado lo que Jesús quiso decir? (Juan 3:3).

10. ¿De qué manera se veía Pablo a sí mismo como creyente "nacido de nuevo"? (2 Corintios 5:17).

11. Lee y anota lo que Jesús dijo acerca de la "vida".
    a. Juan 1:14
    b. Juan 11:25
    c. 1 Juan 5:12

12. La obra de Jesús se completó en la cruz, pero la decisión de obedecer sucedió en el huerto de Getsemaní. Compara lo que sucedió en el jardín del Edén con lo que sucedió en el huerto de Getsemaní. ¿Cuál refleja tu vida? ¿En cuál de los dos anhelas vivir?

Lección tres: Experimenta el gran cambio

1. Lee Efesios 2:1-3 y haz una lista de todo lo que has aprendido respecto al estado de una persona antes de aceptar a Cristo.

2. El libro de Romanos resume de forma maravillosa la transformación espiritual que sucede cuando una persona acepta a Jesucristo como su Señor y Salvador. Busca y anota los siguientes versículos. Considera memorizarlos.
    a. Romanos 3:23, 24
    b. Romanos 5:8
    c. Romanos 6:23
    d. Romanos 8:1
    e. Romanos 10:9, 10
    f. Romanos 10:13

3. Lee 1 Corintios 1:30 y describe cómo nos ve Dios en Cristo.

4. ¿Para quién está disponible esta justicia? (Romanos 3:22, 26, 30).

5. Vamos a ver algunos cuadros del antes y después del gran cambio.

Antes de aceptar a Cristo	Después de aceptar a Cristo
Efesios 2:1-3	Romanos 6:11
Colosenses 1:21	Gálatas 3:25-29; 4:6, 7
Efesios 5:8	Efesios 5:8
1 Corintios 2:14	1 Corintios 2:16

6. ¿Puedes describir tu propio cuadro de tu antes de Cristo y de tu después de Cristo?

7. ¿Qué es lo que intenta hacer Satanás? (Juan 10:10; 2 Corintios 4:4).

8. ¿Qué ofrece Jesús a todo el que cree? (Juan 3:16; Juan 10:10).

9. ¡Dios ha empezado una buena obra en ti! ¿Qué promete él hacer con aquello que ha empezado? (Filipenses 1:6; 1 Tesalonicenses 5:23, 24).

Lección cuatro: Tu hermoso reflejo

1. Ahora que sabes quién eres en Cristo, veamos algunos versículos sobre lo que produce tu nueva identidad.

   a. Efesios 1:4
   b. Efesios 1:7, 8
   c. Efesios 2:4, 5
   d. Efesios 2:18
   e. Efesios 3:12
   f. Colosenses 1:14
   g. Colosenses 1:27
   h. Colosenses 2:7
   i. Colosenses 2:10
   j. Colosenses 2:12

    k. Colosenses 2:13
    l. Colosenses 3:1-4

2. Mira lo que Cristo sufrió por hacer posible nuestra nueva identidad. Lee los siguientes versículos:
    a. Isaías 53:1-12
    b. 2 Corintios 5:21
    c. Hebreos 2:6-10

3. Lee Isaías 43:1-10 y responde las siguientes preguntas:
    a. Según Isaías 43:10, ¿por qué fuimos escogidas por Dios?

    b. ¿Cuál es la diferencia entre "saber" y "creer"?

    c. ¿Cómo crees que se siente Dios respecto a ti?

    d. ¿Por qué fuiste creada?

4. Lee 2 Corintios 3 y anota lo que aprendiste sobre la palabra "gloria".

5. Si pudieras describir cómo es la gloria, ¿qué es lo que ves? Usa tu
imaginación. No hay respuestas correctas o equivocadas.

6. ¿Qué nos mostró Jesús mientras estuvo en la tierra? (Hebreos 1:3).

7. ¿Qué le mostramos al mundo mediante nuestra vida?

8. ¿A qué nos llama Pablo como cristianas en 2 Corintios 3:2? ¿Quién
te está leyendo?

Lección cinco: Valor contagioso
y confianza fortalecida por Cristo

1. Lee Éxodo 3:10—4:14. Haz dos columnas en una hoja de papel. En una anota las objeciones de Moisés al llamado de Dios, y en la otra anota la respuesta de Dios a esos temores u objeciones.

2. Lee Josué 1:5-9
   a. ¿Cuál fue la comisión que Dios le dio a Josué?

   b. ¿Cuáles fueron las promesas específicas de Dios para Josué?

3. Pregunta difícil: ¿por qué siguió Noé construyendo el arca aún cuando nunca había visto llover y la gente del pueblo se burlaba de él? ¿Cómo se relaciona esto con la confianza? ¿Cuál fue el resultado de su obediencia?

4. ¿Dónde se origina el temor? (2 Timoteo 1:7).

5. Una de las semillas del miedo es cuando comenzamos a depender de nuestras propias habilidades. Lee 2 Corintios 1:9 y anota lo que Pablo dijo que era el propósito de las dificultades.

6. Lee los siguientes versículos y anota lo que hayas aprendido respecto a depender de nuestras propias habilidades y talentos, en vez de depender de Cristo en nuestra vida.
   a. 2 Corintios 3:5
   b. 2 Corintios 4:7
   c. Filipenses 2:13
   d. Filipenses 3:3

7. Lee y anota Filipenses 4:13.
   a. ¿Dónde se encontraba Pablo cuando escribió este versículo?

b. ¿En qué condiciones vivía? (Filipenses 1:13).

c. ¿Crees que él se desanimaba a veces?

d. ¿Cómo te sentirías si Dios te llamara al ministerio y terminaras en la cárcel?

e. Con esto en mente, ¿qué puedes concluir sobre lo que Pablo quiere decir cuando dice "en todas las cosas"?

8. ¿Cuál es la esperanza de 1 Tesalonicenses 5:24?

9. Vuelve a leer por completo Filipenses 4 y anota todas las razones de la confianza de Pablo.

Lección seis: Cura para la fe decaída

1. Lee 2 Timoteo 4:7 y describe la fe como un sustantivo (objeto).

2. Lee Santiago 2:17, 18 y describe fe como un verbo (acción).

3. En cuanto a tu tratamiento de belleza total, lee Hebreos 11:1 y escríbelo en tus propias palabras.

4. ¿De dónde viene la fe? (Efesios 2:8).

5. Hebreos 11:6 dice que sin fe no podemos complacer a Dios. ¿Por qué crees que eso es cierto?

6. Lee los siguientes versículos y analiza para qué es esencial la fe:
   a. Efesios 2:8, 9

b. Efesios 3:12
c. Efesios 3:17
d. 1 Timoteo 1:12

7. Una de las razones por la cual tenemos poca fe en las personas es porque cambian de parecer y muchas veces no cumplen lo que prometen. Lee el siguiente versículo y ve cómo Jesús es diferente a las personas (Hebreos 13:8).

8. Todas tenemos episodios de dudas. Por algunos minutos vamos a enfocarnos en alguien que estaba muy cerca de Cristo y quien también tenía sus dudas:
a. Lee Lucas 1:39-44. ¿Qué hizo el niño que aún no nacía, Juan el Bautista, cuando María entró a la casa de su madre?

b. Lee Juan 1:29-34. ¿Cómo llamó Juan a Jesús? ¿Qué fue lo que escuchó decir a Dios?

c. ¿Desde cuándo sabía Juan que Jesús era el Mesías? (Pista: mira otra vez la letra a).

d. Lee Lucas 7:18-28. ¿Dónde se encontraba Juan en ese momento?

e. ¿Por qué estaba allí? (Marcos 6:17, 18).

f. ¿Qué le decían sus discípulos?

g. ¿Qué les pidió él que hicieran ellos?

h. ¿Qué crees tú que hizo que Juan dudara o cuestionara si Jesús era el Mesías, aun cuando él lo había creído antes que nadie?

9. Algunas veces nuestras circunstancias hacen que dudemos de Dios. Miremos un último pasaje para ver cómo el tiempo de Dios es perfecto. Lee Juan 11:1-44.
a. ¿Quién estaba enfermo?

b. ¿Qué sintió Jesús por él?

c. ¿Cuánto tiempo esperó Jesús antes de ir a ver a Lázaro?

d. ¿Qué sucedió mientras tanto?

e. ¿Cuánto tiempo había estado Lázaro en la tumba cuando Jesús llegó?

f. ¿Qué le habría sucedido al cuerpo de Lázaro en ese lapso de tiempo?

g. ¿Qué sucedió cuándo Jesús dijo: "¡Lázaro, ven fuera!"?

h. ¿Llegó tarde Jesús?

i. ¿Por qué esperó ese tiempo?

j. ¿Qué te hace pensar esto en cuanto al hecho de que Dios no contesta nuestras oraciones en nuestro tiempo?

k. ¿Alguna vez Dios llega tarde? (Romanos 15:13).

Lección siete: No más pensamientos sucios

1. Lee Isaías 26:3. ¿A quién va a mantener Dios en perfecta paz?

2. Lee Romanos 8:5-8 y anota todo lo que hayas aprendido sobre la mente que piensa de acuerdo al Espíritu, y sobre la mente que piensa de acuerdo a la carne.

3. ¿En qué debemos poner nuestra mente? (Colosenses 3:1, 2).

4. Lee Isaías 50:5-9. ¿Qué crees que quiso decir Isaías con: "Por eso endurecí mi rostro como el pedernal"? ¿Cómo se relaciona eso con Colosenses 3:1, 2?

5. ¿Qué papel cumple la oración para fijar tus pensamientos? (Filipenses 4:6, 7).

6. Lee Filipenses 4:8 y haz una lista de lo que debemos pensar. Al lado de cada anotación, escribe una palabra que represente el pensamiento opuesto. En la escala del uno al diez, siendo diez los pensamientos más positivos y cero los negativos, ¿cómo calificarías tus pensamientos?

7. ¿Qué pide el rey David respecto a su mente? (Salmo 26:2).

8. ¿Cómo describe Juan a Satanás en Juan 8:44? ¿Cómo te puede ayudar esto a tomar cautivo todo pensamiento?

9. ¿Cómo influenció Satanás a Ananías en Hechos 5:3-10?

10. Lee 1 Pedro 5:6-11.
    a. ¿Qué está haciendo Satanás en este momento?

    b. ¿Qué se nos dice que debemos hacer?

    c. ¿Qué hará Dios?

11. ¿Cuál es la estrategia de Satanás? (2 Corintios 11:12-15).

12. Regresemos a la pregunta número 1 de esta lección. La versión Amplificada de la Biblia (en inglés) tiene definiciones hebreas intercaladas que ayudan a explicar los versículos con mayor claridad, o los amplifica. Te voy a dar la definición hebrea de algunas palabras del versículo:

MANTENER = *nasar* (cuidar, proteger, guardar, utilizado para denotar la protección de un viñedo y de una fortaleza).

PAZ = *shalom* (estar seguro, estar completo).

MENTE = *yester* (enmarcar [una fotografía], patrón, imagen, concepción, imaginación, pensamiento, diseño).

CONSTANCIA = *samak* (sostener, ser sostenido, apoyarse en).

CONFIANZA = *batach* (vincularse con, confiar en, sentirse seguro, confiarse, asegurarse).

Ahora que eres una erudita en el hebreo, escribe una versión amplificada de Isaías 26:3.

13. Lee Colosenses 3:15, 16. La palabra griega para "reinar" es *brabeuo* y significa "actuar como un árbitro". ¿Qué entiendes con que la paz de Cristo puede actuar como el árbitro en tu vida?

Lección ocho: La gracia se extiende y recibes la libertad

Nosotras recibimos una transformación total cuando pasamos tiempo en la clínica de belleza de Dios, pero también necesitamos pasar tiempo en el gimnasio de Dios.

1. Lee y escribe 1 Timoteo 4:7. La palabra "ejercitarse" en griego viene de la palabra "gimnasio" e implica un ejercicio vigoroso. ¿Qué paralelismos puedes mencionar al comparar el ejercitarse para la piedad y el hacer ejercicios en el gimnasio?

2. Lee y escribe Filipenses 2:12, 13. Recuerda: hemos sido salvadas por gracia; es un regalo. ¿Qué crees que Pablo quiere decir cuando nos dice: "ocupaos en vuestra salvación"? ¿Cuáles son algunos ejercicios que podemos hacer para esto?

3. Uno de los ejercicios más extenuantes en materia fe es perdonar. Utiliza un diccionario y define la palabra perdón.

4. ¿Qué enseñó Jesús respecto al perdón en los siguientes versículos?
   a. Mateo 6:12

   b. Mateo 6:14, 15

   c. Mateo 18:21, 22

   d. Mateo18:32-35

5. ¿Qué enseñó Pablo respecto al perdón?
   a. Efesios 4:26, 27

   b. Efesios 4:31, 32

   c. Colosenses 3:13

6. La amargura y la falta de perdón pueden afectar nuestra apariencia física. Lee Génesis 4:6-7.
   a. ¿Qué fue lo que notó Dios en la apariencia de Caín?

   b. ¿Cuál fue el remedio que Dios le dio?

   c. ¿Cuál dijo Dios que sería el orden del cambio: hacer y sentir, o viceversa?

7. ¿Cuáles fueron las palabras de Jesús en la cruz registradas en Lucas 23:34? ¿Hay alguien en tu vida que te haya lastimado y que quizás no tiene idea del dolor que te ha causado? ¿Podrías orar la misma oración que Jesús dijo en la cruz?

8. Lee y anota Juan 13:17. ¿A dónde vas a partir de ese punto?

Lección nueve: Recibe el perdón de Dios

1. Lee los siguientes versículos y pon atención a lo que dicen respecto al perdón de nuestros pecados:

a. Romanos 5:1
b. Hebreos 10:10, 14-22

2. ¿Por qué no entraron los israelitas a la tierra prometida? (Hebreos 3:18, 19).

3. Si tú no crees que Dios te haya perdonado, ¿a qué "tierra prometida" no podrás entrar en este lado del cielo?

4. Revisa 2 Samuel 11 y 12:
   a. ¿Cuál fue el pecado de David?

   b. ¿Cuál fue el resultado del pecado de David?

   c. ¿Cómo se sintió él a causa de eso? (Salmo 51).

   d. ¿Cómo se sintió Dios respecto a David? (1 Samuel 13:14).

5. Lee Juan 8:1-12.
   a. ¿Qué dijo Jesús *acerca de* la mujer que fue sorprendida cometiendo adulterio?

   b. ¿Qué le dijo Jesús *a* la mujer que fue sorprendida cometiendo adulterio?

   c. En Lucas 7:36-50, ¿cómo se sintió la mujer pecadora respecto a Jesús?

6. Muchas mujeres a quienes les cuesta perdonarse se sienten impuras a pesar de que la Biblia proclama que están limpias (Romanos 8:1). Me recuerda el saludo que debía hacer alguien con lepra cuando se acercaba a otra persona. Gritaba: "¡Impuro!" "¡Impuro!". En la historia de los diez leprosos en Lucas 17:11-19, ¿en qué momento empezaron a sanar realmente? (versículo 14).

7. Naamán era un comandante del ejército que tenía lepra. Lee su historia en 2 Reyes 5:1-19 y responde a las siguientes preguntas:
   a. ¿A quién acudió por ayuda?

   b. ¿Qué le dijo Eliseo que hiciera?

   c. ¿Cuál fue la reacción inicial de Naamán ante estas instrucciones?

   d. ¿Cómo lo convencieron sus hombres a obedecer?

   e. ¿Cuál fue el resultado de su obediencia?

   f. ¿Has sentido alguna vez que la fórmula de Dios para perdonar tus pecados era demasiado simple? ¿Has sentido alguna vez que si fuera más severa te sería más fácil creer que estás perdonada?

   g. ¿Cuál es el resultado de tu obediencia al aceptar la solución de Dios para ser limpia?

   h. ¿Cuáles fueron las últimas palabras de Eliseo para Naamán? (versículo 19).

Lección diez: Vestida para el éxito

1. Lee cada versículo y describe el atuendo de cada persona a quien Satanás atacó.
   a. Marcos 14:52

   b. Lucas 8:26-33

   c. Hechos 19:13-16

2. Satanás desea exponer nuestra vergüenza, pero Dios desea cubrirla. Lee Zacarías 3:1-5 y pon atención al cambio de guardarropa de Josué.

3. Busca los siguientes versículos y lee lo que dicen respecto a nuestro nuevo guardarropa:
   a. Salmo 30:11
   b. Romanos 13:14
   c. Gálatas 3:27
   d. Colosenses 3:12

4. Lee los siguientes versículos y pon atención al significado de vestirse con harapos.
   a. Génesis 37:33, 34
   b. 1 Reyes 21:17, 27, 28
   c. Ester 4:1
   d. Jeremías 49:3

5. Lee los siguientes versículos y pon atención a los cambios que Dios ha hecho en nuestro guardarropa.
   a. Isaías 61:1-3
   b. Isaías 61:10

6. ¿Tienes la tendencia a usar ropa de aflicción o ropa de alabanza?

7. ¿Tienes el hábito de verte a ti misma vestida con una túnica de penitencia como Tamar, o te ves como una princesa redimida del Rey? ¿Hay algún cambio que necesitas hacer en tu vida para que empieces a caminar con la verdad de quién eres en realidad?

8. ¿Cuál dice Juan que es su mayor alegría? (3 Juan 1:4).

Lección once: Ponle pies a tu fe

1. Lee Colosenses 1:9-12 y anota las características de una vida "digna del Señor".

2. Según Jesús, ¿qué viene a continuación de poner en práctica lo que sabemos que es la verdad?

3. Lee Efesios 5:3 y anota algunas características visibles de caminar en la carne.

4. Lee Gálatas 5:22, 23 y anota algunas características visibles de caminar en el Espíritu.

5. ¿Cuál es el mayor fruto del Espíritu? (1 Corintios 13:13).

   a. Si pasamos cada acción por el filtro del amor, ¿qué características de la carne anotadas en la pregunta número 3 serían eliminadas?

   b. ¿Cuál es una de las señales más grandes de madurez entre los creyentes? (1 Juan 5:3).

   c. ¿Cuándo somos más como Dios? (1 Juan 4:17).

   d. ¿En qué momentos es más probable que otras personas vean a Dios en nosotras? (1 Juan 4:12).

   e. ¿Dirías que el amor es una acción o un sentimiento?

6. ¿Cómo nos volvemos maduras? (Hebreos 5:14).

7. Un factor importante para vencer a la carne es vencer la tentación. Busca los siguientes versículos y anota lo que hayas aprendido acerca de la tentación.

   a. ¿Por qué puede Jesús ayudarnos cuando somos tentadas? (Hebreos 2:17, 18).

   b. ¿Cómo puede él simpatizar con nuestra debilidad? (Hebreos 4:15).

   c. ¿Cómo nos enseñó Jesús a orar respecto a la tentación? (Mateo 6:13).

   d. ¿Quién está provocando la tentación? (Lucas 4:1-13; Santiago 1:13, 14).

   e. ¿Qué promete darnos Dios con cada tentación? (1 Corintios 10:13).

8. Lee y escribe Romanos 13:14.

   a. ¿Cómo podemos hacer provisión para satisfacer los malos deseos de la carne? (Piensa en lo que vemos, los lugares a los que vamos, etc.).

   b. ¿Existen hábitos en tu vida que necesitas cambiar para no "hacer provisión para" la carne?

Lección doce: Pasa tiempo con
el Artista de las Transformaciones

1. Lee los siguientes versículos y pon atención a lo que Jesús estaba
haciendo. Pon atención también a lo que estaba sucediendo antes
de cada cosa.
   a. Mateo 16:13-19
   b. Marcos 1:35
   c. Marcos 6:46

2. Lee Mateo 16:24-28 y Lucas 9:23-27. ¿Cuántas veces nos dicen que
"tomemos nuestra cruz y sigamos a Jesús"?

3. ¿Cuántas veces Dios le dio el maná a los israelitas mientras vaga-
ban por el desierto? (Éxodo 16:4).

4. ¿Cómo le llaman a Jesús en Juan 6:35?

5. ¿Por qué los discípulos no pudieron expulsar al demonio en los
siguientes dos relatos del mismo incidente? (Mateo 17:20; Marcos
9:29).

6. ¿Crees que el tiempo que pasamos en oración tiene algún efecto
sobre el fortalecimiento de nuestra fe?

7. Vamos a examinar un poco a Moisés y al tiempo que él pasaba en
la clínica de belleza con Dios.
   a. Lee Éxodo 20:19, 20. ¿Cuál fue la respuesta de los israelitas
   cuando Dios habló directamente con ellos?

   b. ¿Qué le dijeron a Moisés?

c. Por el otro lado, ¿cuán ansioso estaba Moisés de que Dios le hablara? (Éxodo 34:28).

d. ¿Cómo hablaba Dios a Moisés? (Éxodo 33:11).

e. ¿Cuál fue la única petición de Moisés? (Éxodo 33:13).

f. Moisés también quería ver la gloria de Dios. Para evitar que Moisés viera la cara de Dios, ¿en dónde se escondió? (Éxodo 33:21, 22).

g. Como hija de Dios, ¿dónde estás escondida ahora? (Colosenses 3:3).

h. ¿Cómo se le llama a Jesús en 1 Corintios 10:4?

i. ¿Cuál fue el resultado externo del tiempo que Moisés pasó en la clínica de belleza de Dios? (Éxodo 34:29, 30, 35).

8. Una forma en la que Dios nos habla es a través de su Palabra. ¿Qué nos dice cada uno de estos versículos sobre la Palabra de Dios?
   a. Mateo 5:17, 18

   b. 2 Timoteo 3:16, 17

   c. Hebreos 4:12

d. 2 Pedro 1:19-21

9. Lee y anota 2 Corintios 4:16. ¿Cómo y cuándo somos renovadas?

10. ¿Cuál es la mejor hora del día para reunirte con Dios? ¿Cuál es el mejor lugar para ello?

Lección trece: Palabras de despedida

En este momento de despedida, quiero que nos enfoquemos en las palabras de despedida de Jesús para sus discípulos y para nosotras. Imagina a un soldado que se va a la guerra y que sabe que será puesto al frente en la línea de batalla. Una semana antes de su partida, se sienta a escribirle una última carta a su esposa. Él trata de incluir todo lo esencial: cómo debe ella seguir adelante en su ausencia, cómo debe resistir el desánimo, y cuánto la ama y la aprecia. En Juan 14 al 17, Jesús abre su corazón ante sus discípulos antes de marcharse a la batalla final en la cruz.

1. Lee Juan 14 y marca o haz una lista de cada palabra de instrucción o de aliento. Después responde a las siguientes preguntas:

a. ¿Por qué no debemos permitir que nuestros corazones se turben?

b. ¿A dónde iba Jesús y por qué se dirigía allí?

c. ¿Cómo puede una persona llegar al Padre?

d. ¿Cómo puede una persona saber cómo es el Padre?

e. ¿De dónde provenían las palabras de Jesús?

f. Según el versículo 12, ¿qué tipo de obras puede llevar a cabo un cristiano?

g. ¿Qué promesa hace Jesús en los versículos 13 y 14?

h. ¿Cómo demostramos que amamos a Jesús? (versículos 15, 21 y 23).

i. ¿A quién envió Jesús para que esté con nosotros? (versículo 16).

j. ¿Cuáles son otros nombres para el Espíritu Santo?

k. ¿Qué tipo de atadura tiene el príncipe del mundo sobre Jesús? (versículo 30).

l. ¿Por qué fué Jesús a la cruz? (versículo 31).

2. Lee Juan 15:1-11 y anota todo lo que aprendiste respecto a *permanecer* o *morar* en Cristo.

3. Lee Juan 17 y anota la oración de Jesús por los creyentes de entonces y de ahora. ¿Cómo podemos estar seguras de que esa oración también es para nosotras?

4. Escribe una oración de alabanza por lo que Dios ha hecho en tu vida mediante este estudio.

Paquete de productos de belleza

Crema limpiadora: "Lávame más y más de mi maldad y límpiame de mi pecado" (Salmo 51:2). "Como tenemos estas promesas, queridos hermanos, purifiquémonos de todo lo que contamina el cuerpo y el espíritu, para completar en el temor de Dios la obra de nuestra santificación" (2 Corintios 7:1, Nueva Versión Internacional).

Base de maquillaje: "Nadie puede poner otro fundamento que el que está puesto, el cual es Jesucristo" (1 Corintios 3:11).

Rubor: "Los que a él miran son iluminados; sus rostros no serán avergonzados" (Salmo 34:5).

Ojos: "Los preceptos del SEÑOR son rectos; alegran el corazón. El mandamiento del SEÑOR es puro; alumbra los ojos" (Salmo 19:8).

Labios: "Bendeciré al SEÑOR en todo tiempo; su alabanza estará siempre en mi boca" (Salmo 34:1). "Porque mejor es tu misericordia que la vida; mis labios te alabarán" (Salmo 63:3).

Cabello: "Unges mi cabeza con aceite; mi copa está rebosando. Ciertamente el bien y la misericordia me seguirán todos los días de mi vida" (Salmo 23:5, 6). "¿Acaso no se venden dos pajaritos por un cuarto? Con todo, ni uno de ellos cae a tierra sin el consentimiento de vuestro Padre. Pues aun vuestros cabellos están todos contados. Así que, no temáis; más valéis vosotros que muchos pajaritos (Mateo 10:29-31).

Ropa: "Porque él [Dios] me ha vestido con vestiduras de salvación y me ha cubierto con manto de justicia" (Isaías 61:10).

Manos: "Por eso te bendeciré en mi vida, y en tu nombre alzaré mis manos" (Salmo 63:4). "Cada día te he invocado, oh SEÑOR; a ti he extendido mis manos" (Salmo 88:9).

Pies: "¡Cuán hermosos son los pies de los que anuncian el evangelio de las cosas buenas!" (Romanos 10:15). "Lámpara es a mis pies tu palabra, y lumbrera a mi camino" (Salmos 119:105).

Perfume: "Somos como un perfume que da vida a los que creen en Cristo" (2 Corintios 2:15, La Biblia en Lenguaje Sencillo).

Notas

Capítulo uno: ¡Necesito un tratamiento de belleza, por favor!

1. Carla Muir, *Beauty Contest*. Usado con permiso. Tomado del libro de Alice Gray, *More Stories from the Heart* (Sisters, OR: Multnomah Publishers, Inc., 1997).

2. Mimi Avins, "Teens Invest Heavily to Look Good", (*The Press Democrat*, Santa Rosa, CA, 3 de julio del 2001), p. D1.

Capítulo dos: El maquillaje increíble

1. Thomas Watson, *Gleanings from Thomas Watson*. (Morgan, PA: Soli Deo Gloria Publications, 1995), p. 49.

Capítulo tres: Una nueva tú

1. Charles Swindoll, *The Tale of the Tardy Oxcart* (Nashville, TN: W Publishing Group, 1998), p. 500.

2. Ibíd., p. 503.

3. Neil T. Anderson y Robert L. Saucy, *The Common Made Holy* (Eugene, OR: Harvest House Publishers, 1997), p. 137. Publicado en español bajo el título *Lo común hecho santo* (Editorial Unilit, 1997).

4. La lista de pasajes bíblicos en "Mi identidad con Cristo" es una adaptación de "Who Am I?" tomado de Neil T. Anderson, *Victory over the Darkness* (Ventura, CA: Regal Books, 1990), pp. 45-47. Publicado en español bajo el título *Victoria sobre la oscuridad* (Editorial Unilit, 1994).

5. Neil T. Anderson, *Victory over the Darkness* (Ventura, CA: Regal Books, 1990), p. 37.

6. Beth Moore, *Believing God* (Nashville, TN: LifeWay Christian Resources, 2004), p. 200.

7. Neil T. Anderson y Robert L. Saucy, *The Common Made Holy*, p. 39.

Capítulo cuatro: Espejito, espejito mágico

1. Neil T. Anderson y Robert L. Saucy, *The Common Made Holy* (Eugene, OR: Harvest House Publishers, 1997), p. 42. Publicado en español bajo el título *Lo común hecho santo* (Editorial Unilit, 1997).

2. Kenneth Barker, editor general, *NIV Study Bible* (Grand Rapids, MI: Zondervan, 1995), p. 895.

3. Neil T. Anderson, *Living Free in Christ* (Ventura, CA: Regal Books, 1993), p. 72. Publicado en español bajo el título *Viviendo libre en Cristo* (Editorial Unilit, 1994).

4. Anabel Gillham, *The Confident Woman* (Eugene, OR: Harvest House Publishers, 1993), pp. 111, 112.

Capítulo cinco: Una confianza firme

1. Robert y Rosemary Barnes, *Rock Solid Marriage* (Grand Rapids, MI: Zondervan, 1996), p. 194. Publicado en español bajo el título *Unidos para siempre* (Editorial Vida).

2. Barbara Graham, "Shortcuts to Confidence", *Self*, (julio 1997), p. 116.

3. Alanna Nash, "Goldie Rules", *Good Housekeeping*, (julio 1997), p. 76.

4. Rebecca E. Greer, "Boost Your Confidence", *Woman's Day*, (20 de abril de 1999), p. 29.

5. Kristen Kemp, "Confidence a Makeovers", *YM*, (abril 2000), p. 24.

6. Susie Fields, "Super Confidence and How to Get It", *Salon Ovations*, (septiembre 1996), p. 30.

7. Ibíd.

8. Ibíd.

9. W. E. Vine, Merrill F. Unger, William White Jr., *Vine's Expository Dictionary of Old and New Testament Words* (Nashville, TN: Thomas Nelson, 1985), p. 1.

10. Neil T. Anderson, *Living Free in Christ*, (Ventura, CA: Regal Books, 1993), p. 70.

Capítulo seis: Un estiramiento de fe

1. Kenneth L. Barker y John R. Kohlenberger III, *Zondervan NIV Bible Commentary, Volume 2: New Testament* (Grand Rapids, MI: Zondervan, 1994), p. 9992.

2. Neil T. Anderson y Robert L. Saucy, *The Common Made Holy* (Eugene, OR: Harvest House Publishers, 1997), p. 283.

3. A. W. Tozer, *The Best of Tozer* (Grand Rapids, MI: Baker Book House, 1978), p. 120.

4. Oswald Chambers, *My Utmost for His Highest* (Grand Rapids, MI: Discovery House Publishers, 1992), mayo 30. Publicado en español bajo el título *En pos de lo supremo* (Editorial Unilit, 1993).

5. Copyright © 1998 Integrity's Hosanna! Music/ASCAP c/o Integrity Incorporated, 1000 Cody Road, Mobile, AL 36695. Usado con permiso.

6. Kenneth Barker, editor general, *NIV Study Bible*, p.1464.

7. Oswald Chambers, *My Utmost for His Highest*, junio 5.

Capítulo siete: Una mente renovada

1. Kenneth Barker, editor general, *NIV Study Bible Bible* (Grand Rapids, MI: Zondervan, 1995), p. 12.

2. Beth Moore, *Breaking Free* (Nashville, TN: LifeWay Press, 1999), p. 184.

3. Ibíd., p. 194

4. Neil T. Anderson, *The Bondage Breaker* (Eugene, OR: Harvest House Publishers, 1990), p. 23. Publicado en español bajo el título *Rompiendo las cadenas* (Editorial Unilit, 1994).

5. Anabel Gillham, *The Confident Woman* (Eugene, OR: Harvest House Publishers, 1993), p. 97.

Capítulo ocho: Un programa de ejercicios

1. Jean Lush, *Women and Stress* (Grand Rapids, MI: Revell, 1992), p. 113. Publicado en español bajo el título *Las mujeres y el estrés* (Editorial Unilit, 1997).

2. Kenneth L. Barker y John R. Kohlenberger III, *NIV Commentary* (Grand Rapids, MI: Zondervan Publishing House, 1994), p. 806.

3. Spiros Zodhiates, et al., eds., *The Complete Word Study Dictionary, New Testament* (Chattanooga, TN: AMG Publishers, 1992), p. 229.

4. Beth Moore, *Living Beyond Yourself* (Nashville, TN: LifeWay Press, 1998), p. 120.

5. Philip Yancey, *What's So Amazing About Grace?* (Grand Rapids, MI: Zondervan, 1997), pp. 98, 99. Publicado en español bajo el título *Gracia divina vs. Condena humana* (Editorial Vida, 1997).

6. Corrie ten Boom, *Tramp for the Lord* (Grand Rapids, MI: Revell, 1974), pp. 83-86.

7. Ibíd., p. 83.

8. Beth Moore, *Breaking Free* (Nashville, TN: LifeWay Press, 1999), p. 75.

9. Charles Swindoll, *The Tale of the Tardy Oxcart* (Nashville, TN: W Publishing Group, 1998), p. 210.

Capítulo nueve: Un régimen para perder peso

1. C. S. Lewis, *Mere Christianity* (Nashville, TN: Broadman and Holman Publishers, 1996), p. 104. Publicado en español bajo el título *Cristianismo… ¡y nada más!* (Editorial Caribe, 1977).

2. Henry Blackaby y Richard Blackaby, *Experiencing God Day-by-Day* (Nashville, TN: Broadman and Holman Publishers, 1997), p. 193. Publicado en español bajo el título *Mi experiencia con Dios* (Casa Bautista de Publicaciones, 2000).

3. Malcolm Smith, *Forgiveness* (Tulsa, OK: Pillar, 1992), pp. 6, 7.

4. Charles R. Swindoll, *Joseph: From Pit to Pinnacle, Bible Study Guide* (Fullerton, CA: Insight for Living, 1982), p. i.

5. Beth Moore, *Breaking Free* (Nashville, TN: LifeWay Press, 1999), p. 84.

6. Ibíd., p. 5.

7. Neil T. Anderson, *Victory over the Darkness* (Ventura, CA: Regal Books, 1990), p. 204.

8. David Seamands, *Healing for Damaged Emotions* (Wheaton, IL: Victor Books, 1981), pp. 310-332.

9. F. B. Meyer, *Devotional Commentary of Philippians* (Grand Rapids, MI: Kregel Publications, 1979), pp. 183, 184.

Capítulo diez: Un guardarropa completamente nuevo

1. James Strong, tomado del *Hebrew and Chaldee Dictionary of Exhaustive Concordance of the Bible* (Nashville, TN: Holman Bible Publishers, s.f.), p. 58.

Capítulo once: Una exfoliación de lo viejo

1. Neil T. Anderson y Robert L. Saucy, *The Common Made Holy* (Eugene, OR: Harvest House Publishers, 1997), pp. 315, 316.

2. Peter H. Davids, *The Epistle of James* (Grand Rapids, MI: William B. Eerdmans Publishing Company, 1982), p. 161.

3. Neil T. Anderson, *Victory over the Darkness* (Ventura, CA: Regal Books, 1990), p. 85.

4. Ibíd., p. 102.

Capítulo doce: Un día en la clínica de belleza

1. Bruce Wilkerson, *Secrets of the Vine* (Sisters, OR: Multnomah Publishers, Inc., 2001), p. 109.

2. Henry Blackaby y Richard Blackaby, *Experiencing God Day-by-Day* (Ventura, CA: Regal Books, 1990), p. 276.

3. Sharon Jaynes, *Becoming a Woman Who Listens to God* (Eugene, OR: Harvest House Publishers, 2004), p. 15.

4. A. W. Tozer, *Root of the Righteous* (Camp Hill, PA: Christian Publications, Inc., 1986), cita tomada del capítulo 29. Publicado en español bajo el título *La raíz de los justos* (Editorial Clie, 1995).

Otros libros de Sharon Jaynes

publicados por Editorial Mundo Hispano

Sueños de mujer

Toda mujer sueña con ser hermosa, tener un papá que la ame, llegar a casarse, ser madre, tener una amiga especial. Pero a veces la vida nos muestra una realidad diferente. La autora desafía a desempolvar esos sueños y entregárselos al Autor de los sueños para transformarlos en hermosas realidades.

La mujer de sus sueños

¿Quieres convertirte en la mujer con quien tu esposo siempre soñó? Este libro te ayudará a apreciar ese papel único y maravilloso que Dios estableció y que solamente tú puedes tener en la vida de tu esposo.

Permite que siete sugerencias sencillas, consejos bíblicos e historias verídicas te inspiren a ser la esposa que tu marido anhela.

Tus cicatrices son hermosas para Dios

Las cicatrices implican que hay una historia que contar. Algunas cicatrices son visibles mientras que otras representan heridas profundas del alma. Sharon te acompaña en el proceso de descubrir el lugar y el propósito del dolor de tu pasado, y liberar el poder de tu historia personal para aprender a ver tus cicatrices con los ojos de Dios.

Busca estos y otros fantásticos libros para mujeres en